Le CHEVAL

comportement
et caractères

EDITIONS ATLAS

Édité par :
Éditions Glénat
© L.R.I Inc. / Éditions Atlas, MCMXIX-MM-MMII
© Éditions Glénat pour l'adaptation, MMII

Services éditoriaux et commerciaux :
Éditions Glénat – 39, rue du Gouverneur-Général-Éboué
92130 Issy-les-Moulineaux

Cet ouvrage est une édition partielle de l'encyclopédie « Équitation, la passion du cheval », publiée par les Éditions Atlas et dirigée par Emmanuelle Hubrecht

Maquette de couverture : Les Quatre Lunes
Photo de couverture : Sabine Huewer/Optipress

Tous droits réservés pour tous pays
Imprimé en Italie par Deaprinting - Corso della Vittoria, 91-28100 Novara
Achevé d'imprimer : juillet 2009
Dépôt légal : mai 2002
ISBN : 978-2-7234-4062-2

INTRODUCTION

Au sein du règne animal, le cheval fait incontestablement figure de surdoué.
Il développe en effet différentes formes d'intelligence, qui captivent l'homme.
Il possède ainsi un langage gestuel riche souvent méconnu, et semble par ailleurs
plus doué que nous pour s'orienter : il construit des cartes mentales
de son environnement ou utilise le soleil afin de se repérer dans l'espace…
Il est également très bien doté en ce qui concerne l'intelligence du mouvement,
c'est un animal rapide et adroit qui a le sens de l'équilibre, même sur des
terrains accidentés. Mais le cheval est surtout un surdoué pour les relations
qu'il développe avec ses congénères et les humains. Sa capacité à percevoir
l'autre, à deviner les émotions ou les intentions du cavalier est étonnante !
Éminemment social, le cheval utilise un langage complexe, à la fois corporel
et tactile : la communication est continue et passe par les expressions de la tête
et les attitudes du corps. Ce sont tous ces aspects du comportement
et du caractère des chevaux qui sont étudiés dans ce passionnant *Atlas nature
des chevaux*. Ce livre très complet présente non seulement la psychologie
du cheval, avec ses émotions, sa volonté ou ses capacités d'apprentissage,
mais aussi la relation de l'homme au cheval : le cavalier doit apprendre
à communiquer visuellement, à capter son intérêt, à savoir le contrôler
et à se faire respecter.
Illustré par de somptueuses photos, cet ouvrage va combler tous les amateurs
de chevaux !

L'Éditeur

S O M M

A I R E

Sorrel

ANATOMIE

Anatomie comparée homme/cheval

Le cheval n'a qu'un seul doigt et marche sur son ongle unique.
Pas étonnant qu'il soit capable de danser comme une ballerine.

Bob Langrish

UN COUSIN PAS SI ÉLOIGNÉ

L'anatomie du cheval peut être comparée à celle de l'homme. En recherchant les correspondances qui existent entre son squelette et le nôtre, on apprend à mieux utiliser son cheval.

A QUATRE PATTES
SUR LES DOIGTS

Pour étudier la correspondance entre les membres du cheval et les nôtres, il faut s'imaginer l'homme à quatre pattes sur le bout des doigts. On constate aussitôt que le sabot du cheval équivaut à nos ongles et que le cheval marche bel et bien sur la pointe du seul doigt qui lui reste. Ce doigt remonte jusqu'au boulet. Le canon correspond donc à notre paume ou à la plante de notre pied. Le genou du cheval est, en fait, notre poignet. Son jarret est notre cheville. Voilà pourquoi ces articulations sont constituées de multiples osselets.

DES NOMS TROMPEURS

En remontant encore, on découvre que notre avant-bras et notre jambe (la partie qui va du genou au pied) portent les mêmes noms que chez le cheval. Au-dessus du genou de celui-ci, c'est une autre affaire. Le coude du cheval correspond bien au nôtre, mais on est surpris de le découvrir si près du thorax... A l'arrière, c'est un peu plus compliqué. Notre genou s'appelle grasset chez le cheval et se situe contre le bas-ventre. En palpant cette articulation, on sent très bien la mobilité de la rotule. Le bras et la cuisse sont dissimulés dans l'avant – et l'arrière – main de l'animal.

LE SAVIEZ-VOUS ?

L'homme et le cheval sont cousins dans l'arbre de l'évolution. Ils se sont développés à partir des plans d'un lointain ancêtre commun. Il y a donc bien une correspondance entre notre squelette et celui des équidés.

Le cheval marche sur un doigt. Au troisième temps du galop, ses cinq cents kilos reposent sur une seule phalange : on comprend pourquoi l'usure menace ses membres.

Bob Langrish

Benoist-Gironière

Anatomie comparée de l'homme et du cheval

PAS DE CLAVICULE

La belle et longue épaule du cheval correspond à notre omoplate. L'articulation qu'on nomme « épaule » chez l'homme se limite à la « pointe de l'épaule » chez les équidés. Ne cherchez pas non plus de clavicule chez votre monture : elle n'en a pas. Cet os qui unit le bras au thorax est une spécialité des singes grimpeurs dont nous descendons. Chez la plupart des quadrupèdes, le tronc est juste suspendu entre les pattes par des muscles, des tendons et des ligaments.

LE CHEVAL DANS LA CLASSIFICATION DU RÈGNE ANIMAL

Il est important de savoir replacer le cheval dans la grande histoire de la vie. Comme l'homme, il fait partie des rares rescapés de l'évolution. En analysant ces tableaux, on constate que le cheval est bien notre cousin et que nous avons de nombreux points communs. L'autre élément frappant, c'est que la famille du cheval est infiniment plus pauvre que celle des singes,

dont nous descendons. De là à dire que les équidés constituent un cul-de-sac de l'évolution, il n'y a qu'un pas...

Aide-mémoire

Herbivore : qui se nourrit exclusivement d'herbe et de végétaux, contrairement aux carnivores qui mangent de la viande ou aux omnivores qui ont un régime mixte.
Ongulé : ce mot qualifie les animaux dont les doigts sont terminés par des sabots. Les chevaux, les vaches, les chèvres, les cochons sont des ongulés.
Onguligrade : mammifère ongulé qui, lorsqu'il marche, prend appui sur ses ongles.
Périssodactyle : ce mot désigne les animaux dont l'axe du membre passe par le majeur ou troisième doigt, le nombre de ceux-ci étant impair. Le tapir et le rhinocéros partagent cette particularité avec les chevaux. Ce sont donc de lointains cousins. Mais, chez les deux premiers, le nombre de doigts est de trois ; le cheval, lui, n'a conservé que le médius.

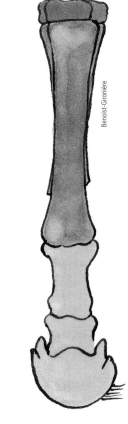

Anatomie comparée de la main humaine et de l'antérieur du cheval (du genou au pied)

Benoist-Gironière

LE CHEVAL ET L'HOMME

Règne animal
Embranchement des cordés
(système nerveux autonome, séparé du tube digestif par un axe en forme de corde)
Sous-embranchement des vertébrés
(animaux qui ont des vertèbres)
Super-classe des gnathostomes
(qui ont des mâchoires)
Classe des ostéichthyens
(squelette osseux)
Sous-classe des sarcoptérygiens
(humérus ou fémur articulé sur la ceinture du membre)
Division des tétrapodes
(qui ont quatres membres et cinq doigts)
Infra-classe des mammifères
(qui ont des mamelles et des poils)
Division des thériens
(phase avec des dents de lait)
Super-ordre des placentaires
(qui portent leurs petits dans un placenta)

CHEVAL
Ongulés
Ordre des périssodactyles
(qui marchent sur le doigt du milieu)
Famille des équidés
(cheval, âne, zèbre)
Espèce: *Equus caballus*, le cheval

HOMME
Ordre des primates
(possèdent un pouce opposable)
Sous-ordre des Haplorrhiniens
(nez non fendu)
Infra-ordre des simiens
(les singes)
Super-famille des catarrhiniens
ou singe de l'ancien monde
(narines rapprochées)
Famille des anthropoïdes
(grands singes sans queue)
Genre des hominidés
(nous et nos ancêtres disparus)
Espèce: *Homo sapiens*, l'homme

La dentition

Les dents sont faites pour croquer et pour manger, aurait pu dire M. de la Palice !
Mais il aurait encore dû préciser que leur forme correspond à leur fonction, c'est-à-dire à la
manière dont leur propriétaire se nourrit. Et que celles des chevaux sont en cela bien particulières.

Sorrel

UNE BELLE ORGANISATION MÉCANIQUE

Selon le dictionnaire, la dent est « un organe dur, enchassé dans la mâchoire, formé d'ivoire et recouvert d'émail ». Voilà une meilleure définition que celle de M. de la Palice ! Mais elle est encore loin d'être complète en ce qui concerne le cheval.

DES CHIFFRES ET DES NOMS

Une première particularité est que les chevaux mâles ont plus de dents que les juments : 40 pour les premiers, 36 pour les secondes. Chaque mâchoire de la jument compte 6 incisives et 12 molaires. Le mâle possède en plus 2 canines appelées crochets. Seconde particularité, chaque mâchoire comporte, entre les dents de devant et les molaires, un espace libre nommé « barre ».

Le bon geste

Pour savoir si un cheval souffre de surdents, ouvrez-lui la bouche en posant un doigt sur une de ses barres, puis passez l'index de l'autre main entre sa joue et ses molaires. Ça pique ? Ça râpe ? Les surdents sont là.

Bob Langrish

Kit Houghton

Pour user correctement ses dents, le cheval doit beaucoup mastiquer : c'est pourquoi l'herbe ou le fourrage doivent représenter la plus grande partie de son alimentation.

DES DRÔLES DE CANINES

On peut se demander pourquoi les chevaux, qui sont des herbivores, ont des canines. Ils les tiennent en fait de leurs très lointains ancêtres, les éohippus, qui vivaient il y a cinquante millions d'années dans les forêts et qui étaient omnivores.

On peut encore se demander pourquoi, après une si longue période, chez les mangeurs d'herbe qu'ils sont, ces canines devenues inutiles n'ont pas disparu. Ce serait oublier que seuls les mâles en sont dotés et que les étalons se mordent lorsqu'ils se battent pour conserver leurs juments.

UTILES, LES BARRES !

Les barres semblent être une fantaisie de la nature. Mais elles sont en fait fort utiles au cheval. Elles lui permettent de stocker quelques bouchées de fourrage pendant que ses molaires écrasent les bouchées précédentes. Le cheval a en effet besoin d'avoir une toute petite avance de nourriture: c'est un animal très craintif, toujours pressé, toujours prêt à bondir pour fuir un éventuel danger. Pour lui, un brin d'herbe supplémentaire compte !

BON A SAVOIR
Le dentiste du cheval

C'est le plus souvent le vétérinaire qui râpe ces vilaines et douloureuses anomalies dentaires que sont les surdents. Mais ce peut être aussi un maréchal-ferrant expérimenté ou l'un de ces « techniciens dentaires » que l'on trouve maintenant dans presque toutes les régions d'élevage.

DU POULAIN AU BROUTEUR

Les incisives portent des noms précis. Les deux centrales sont les pinces, de chaque côté desquelles se trouvent les deux mitoyennes, elles mêmes encadrées par les deux coins. A la naissance, aucune dent n'est encore sortie. Elles apparaissent au cours du premier mois: les pinces d'abord, puis les mitoyennes et, vers un an, les coins. Vers deux ou trois ans, ces incisives de lait tombent et sont remplacées par les dents définitives.

Les crochets n'apparaissent chez les mâles que vers quatre ans. Les molaires, qui sont au nombre de quatre seulement dans les premières années, se complètent vers quatre ou cinq ans. Avant six ans, la bouche du cheval est définitivement formée.

DES DENTS QUI NE CESSENT DE POUSSER

Dans la nature, le cheval se nourrit principalement d'herbe et de graminées. Ces plantes, riches en silice, sont abrasives. C'est pourquoi, au fil des millénaires, les dents du cheval ont acquis une croissance quasi permanente. L'usure dûe à la mastication est compensée par une pousse constante.

L'ÂGE ET LA TABLE DENTAIRE

L'état des dents de la mâchoire inférieure du cheval (celles qui s'usent le plus) indique l'âge de l'animal. C'est « l'âge marqué » : à l'observation, on peut dire que le cheval « marque » tant d'années. Mais, après douze ou treize ans, l'usure des dents ne donne plus d'indications précises. On dit alors que le cheval « ne marque plus », qu'il est « hors d'âge ».

UN DÉFAUT DE LA NATURE

La mâchoire inférieure du cheval est nettement plus étroite que celle du haut. Les molaires de ses deux mâchoires ne s'imbriquent donc pas parfaitement les unes dans les autres durant la mastication. Ce décalage peut entraîner, en particulier chez les chevaux nourris avec des aliments concentrés, une usure irrégulière des dents et l'apparition d'aspérités piquantes contre la joue.

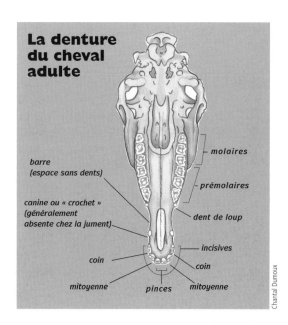

La denture du cheval adulte

barre (espace sans dents)

canine ou « crochet » (généralement absente chez la jument)

molaires

prémolaires

dent de loup

incisives

coin

coin

mitoyenne

pinces

mitoyenne

Chantal Dumoux

Ces aspérités, nommées surdents, provoquent des blessures des joues et de la langue. Le cheval mange alors plus lentement et moins. La douleur peut aussi l'inciter à se défendre contre la main de son cavalier. Il importe donc de faire contrôler les dents une fois par an.

Le saviez-vous ?

Les juments bréhaignes

Bien que le cas soit rare, il arrive qu'une jument soit pourvue de crochets. On la dit alors « bréhaigne ». Et les juments bréhaignes sont réputées être stériles. Ce qui ne s'avère pas toujours exact !

Détail important : sans ces zones dépourvues de dents sur les mâchoires que sont les barres, l'homme n'aurait jamais pu placer un mors dans la bouche du cheval !

Les robes

Les robes présentent bien des nuances auxquelles les cavaliers ne savent pas toujours donner un nom. Heureusement, elles sont groupées en grandes catégories facilement reconnaissables !

Lacz / Sunset

QU'EST-CE QU'UNE ROBE ?

On appelle robe la couleur du cheval, définie par l'ensemble de ses poils et de ses crins. Les robes peuvent être simples, composées, de deux ou de trois couleurs mélangées, de deux couleurs par plaques.

Bai
Le bai est composé de poils rouges, les extrémités et les crins étant noirs. Il existe différentes nuances de bai, du bai clair au bai brun foncé en passant par le bai cerise et le bai châtain.

LES ROBES SIMPLES

Les robes simples présentent une seule couleur pour les poils et les crins – avec parfois des nuances. Elles comportent le blanc, l'alezan, le café-au-lait et le noir.

Café-au-lait
Le cheval café-au-lait est d'un beau doré pâle, avec des crins «lavés» c'est-à-dire plus clairs que le poil. Cette robe est similaire au palomino américain.

LES ROBES COMPOSÉES

On appelle robes composées les robes comportant une couleur principale, les crins et les extrémités étant noirs. Les robes composées sont le bai, l'isabelle et le souris.

Alezan
Les poils de l'alezan sont jaunes, orange ou cuivrés. Les crins sont parfois lavés. L'alezan de base est une chaude teinte cannelle, mais il existe de nombreuses nuances, comme l'alezan doré, l'alezan cuivré et l'alezan brûlé qui fait penser à un grain de café.

Le souris
Un cheval gris souris possède un poil gris cendré plus ou moins foncé avec des extrémités noires. Dans les nuances foncées, il paraît parfois uni. Cette robe spectaculaire n'est pas courante.

Blanc
On appelle blanc tout cheval qui semble blanc – bien que le blanc véritable soit très rare. Souvent, il s'agit d'un cheval gris blanchi par l'âge.

LES ROBES DE POILS MÉLANGÉS

Ces robes comportent des poils de deux ou trois couleurs différentes mélangés sur tout le corps. Les crins sont souvent eux aussi mélangés.

DEUX POILS MÉLANGÉS

Les robes de deux poils mélangés sont le gris, le louvet et l'aubère.

Louvet
Poils jaunes ou rouges mélangés à des poils noirs, ou bien poils jaunes à la base et noirs à l'extrémité. Beaucoup de louvets ont une raie de mulet (raie sombre courant sur l'échine) et des crins noirs.

Gris
Poils blancs et poils noirs ou brun mélangés, en proportion variable. Le gris peut être plus ou moins clair, pommelé, fer ou ardoisé (avec des nuances bleutées). Les chevaux gris sont foncés lorsqu'ils sont jeunes et blanchissent en vieillissant.

Noir
Le noir véritable est une robe assez rare. On distingue le noir franc, le noir mal teint (avec des zones plus claires) et le noir jais, aux brillants reflets sombres.

Aubère
Poils rouges et poils blancs mélangés. L'aubère peut être clair, ordinaire ou foncé.

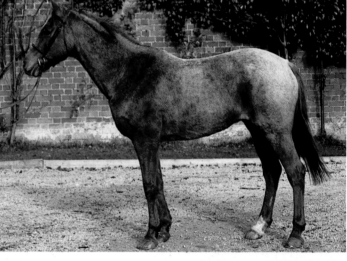

Isabelle
L'isabelle est composé de poils jaunes, les extrémités et les crins étants noirs. Il peut être clair, ordinaire ou foncé. Les chevaux isabelle ne sont pas communs dans toutes les races.

TROIS POILS MÉLANGÉS

Deux robes mélangées par plaques

Pie

La robe pie est constituée de deux robes mélangées par plaques, l'une d'elles étant toujours le blanc. On parle de pie noir, pie bai, pie alezan, mais il existe aussi le pie aubère, le pie rouan et le pie café-au-lait! Aujourd'hui, on appelle souvent cette robe «pinto».

Rouan
L'unique robe comportant trois poils mélangés est le rouan: poils rouges, noirs et blancs. Le rouan peut être clair (le blanc domine), foncé (le noir domine) ou vineux (le rouge domine).

Tendons et ligaments

*Les tendons et les ligaments relient les os entre eux, ainsi que les muscles au squelette.
Ils constituent aussi, hélas, le point faible, le «tendon d'Achille» des équidés.*

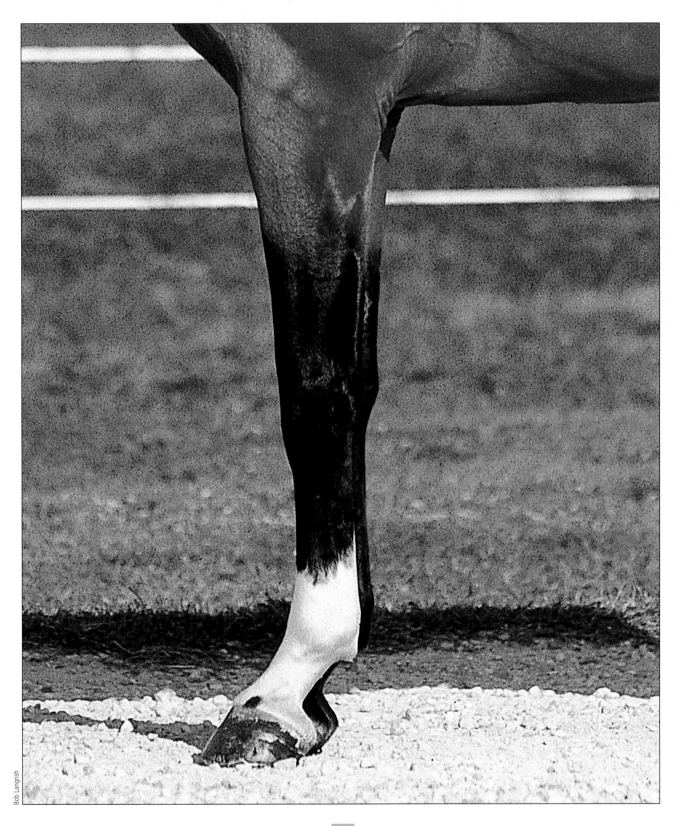

Bob Langrish

LES TENDONS

Un tendon est une structure fibreuse qui relie un muscle à un os. C'est, en fait, une espèce de corde assez peu élastique qui transmet les contractions du muscle à une articulation (voir dessins A et B). Du fait de son manque de souplesse et de sa mauvaise vascularisation, le tendon est le maillon faible du système mécanique du cheval.

SOUS LE GENOU, LES TENDONS

Les tendons jouent chez le cheval un rôle très important, car celui-ci marche sur la pointe de son doigt unique. Rappelez-vous que le genou du cheval correspond à notre poignet. En dessous de cette articulation, il n'y a plus aucun muscle.

Seuls les tendons répercutent l'action des muscles de l'avant-bras sur les trois phalanges du pied. Le canon du cheval n'a aucun muscle, il n'est composé que de tendons.

PERFORÉ ET PERFORANT : LES DEUX TENDONS À CONNAÎTRE

Les tendons les plus importants à connaître sont le perforant et le perforé, tous deux situés à l'arrière du canon dans la zone qu'on nomme les tendons. Le perforé est celui que l'on sent à la surface, vers l'arrière du tendon Il sert à fléchir les deux première phalanges. Le perforant est situé un peu plus en arrière, entre le perforé et l'os. Il passe en arrière du boulet et actionne la troisième phalange, dans le sabot (voir dessin C).

LES LIGAMENTS

Les ligaments sont des structures fibreuses qui relient un os à un autre os. Ils sont encore moins élastiques que les tendons.

NE PERMETTRE QUE LE BON MOUVEMENT

Les ligaments limitent le mouvement dans certaines directions. Le genou du cheval ne bouge, par exemple, que dans un sens. Il ne peut ni tourner sur lui-même, ni décrire des mouvements angulaires sur les côtés. Son extension est limitée vers l'avant. Il ne peut que fléchir vers l'arrière. Ce mouvement unique est le seul qu'autorise la forme des os ; les ligaments ajoutent leur action en interdisant tout autre mouvement.

ÉVITER LES LUXATIONS

Les ligaments confèrent en outre sa solidité à l'articulation. Ce sont eux qui maintiennent l'une contre l'autre les deux extrémités des os qui forment l'articulation. Lorsque les ligaments sont distendus ou rompus, il se produit une luxation, c'est-à-dire une dislocation de l'articulation.

LE SUSPENSEUR DU BOULET

Un des ligaments les plus intéressants à connaître, parce que parmi les plus fragiles, est le ligament suspenseur du boulet (voir dessins C et D). Il relie le carpe (l'os du canon) au boulet. Cette structure, qui est en fait le vestige d'un ancien muscle, est beaucoup plus élastique qu'un ligament classique. Elle fait partie du stay apparatus décrit en page 21. Son rôle consiste à suspendre le boulet, comme son nom l'indique, et à éviter que cette articulation ne se retourne vers l'avant.

COMMENT PEUT-IL DORMIR DEBOUT ?

Les chevaux peuvent rester debout sur leurs jambes tendues avec un minimum d'effort. L'ensemble des muscles et des ligaments qui le leur permet se nomme « stay apparatus ».

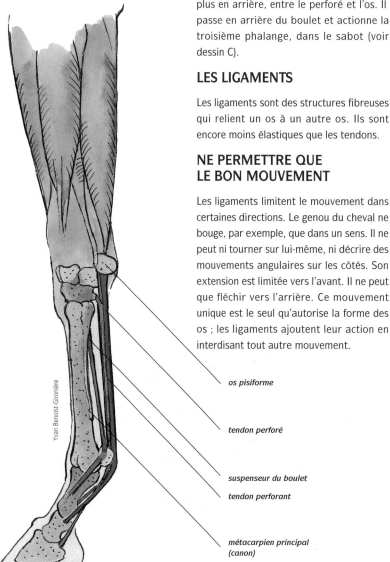

os pisiforme

tendon perforé

suspenseur du boulet

tendon perforant

métacarpien principal (canon)

Yvan Benoist-Gironière

LE COIN DU PRO

L'atteinte la plus fréquente des ligaments est sans doute l'entorse du boulet. Face à une boiterie associée à un boulet chaud et enflé, le vétérinaire pratiquera une échographie, ce qui lui permettra de faire le bilan des lésions ligamentaires.

UN SYSTÈME DE BLOCAGE

Si le cheval peut somnoler debout, sans tomber, c'est qu'il possède un système qui lui permet de bloquer les articulations de ses membres en extension presque sans effort musculaire. Lorsqu'on le voit en appui sur trois jambes, un postérieur au repos, c'est qu'il utilise le système autobloquant de trois de ses membres, ce qui lui est suffisant pour se soutenir plus facilement. Le stay apparatus est un système très complexe constitué de plusieurs muscles et ligaments qui maintiennent les articulations en extension.

coupe du canon

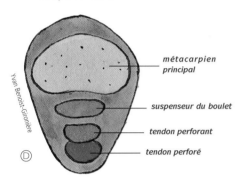

métacarpien
principal

suspenseur du boulet

tendon perforant

tendon perforé

Yvan Benoist-Gironière

Le bon geste

Pour ménager les tendons et les ligaments de votre monture, choisissez votre terrain. Gardez-vous, par exemple, de travailler un cheval sur un terrain trop boueux. A l'inverse, évitez de trotter ou de galoper trop longtemps sur un sol dur – macadam ou terre trop sèche. Méfiez-vous également des terrains trop irréguliers, pleins de trous et de bosses. Enfin, veillez à ce que les sabots de votre cheval soient toujours bien parés, surtout en pince.

SÉLECTIONNÉ PAR L'ÉVOLUTION

Cette béquille naturelle qui permet au cheval de rester de longues heures debout sans se fatiguer n'est pas due à un hasard de son évolution. Un cheval debout a en effet plus de chances de repérer l'approche d'un prédateur qu'un cheval couché dans les hautes herbes. Ceux que l'évolution dota d'un stay apparatus ont été avantagés par rapport à ceux qui n'en étaient pas pourvus.

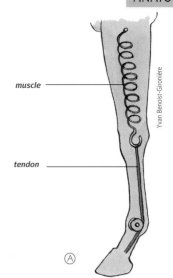

muscle

tendon

Ⓐ

Yvan Benoist-Gironière

BON A SAVOIR

Le cheval peut dormir debout, mais il ne dort pas toujours debout. Il a absolument besoin de se coucher quelques heures par jour pour dormir et, même, de s'allonger de tout son long pour rêver. Son box doit être suffisamment spacieux pour le lui permettre.

Sorrel

Les aplombs

La régularité des aplombs détermine la qualité des allures du cheval, son équilibre,
la sûreté de son pied. Des aplombs défectueux peuvent fatiguer les membres et entraîner,
à long terme, leur usure prématurée. C'est pourquoi il est important de les connaître.

Sorrel

DE BONNES JAMBES

On désigne par « aplomb » la façon dont le membre est orienté sous le corps du cheval. Les aplombs peuvent être corrects ou défectueux. Ils sont corrects, ou « réguliers », quand les membres sont à la verticale sous le corps. On distingue les aplombs à l'arrêt et les aplombs en mouvement.

EN MOUVEMENT

On dit qu'un cheval marche en ligne lorsque l'antérieur et le postérieur d'un bipède latéral se déplacent dans un même plan et sur la même piste. Les défauts des aplombs à l'arrêt se répercutent en général sur la façon dont le cheval se déplace.

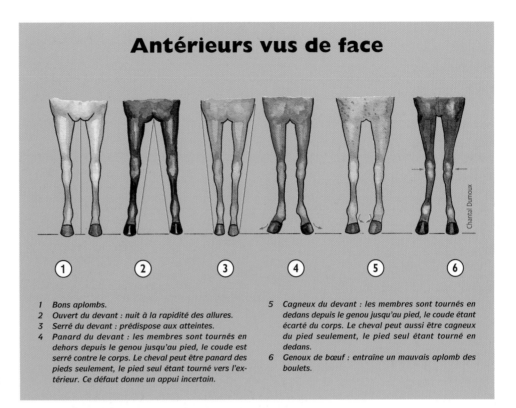

Antérieurs vus de face

1   *Bons aplombs.*
2   *Ouvert du devant : nuit à la rapidité des allures.*
3   *Serré du devant : prédispose aux atteintes.*
4   *Panard du devant : les membres sont tournés en dehors depuis le genou jusqu'au pied, le coude est serré contre le corps. Le cheval peut être panard des pieds seulement, le pied seul étant tourné vers l'extérieur. Ce défaut donne un appui incertain.*
5   *Cagneux du devant : les membres sont tournés en dedans depuis le genou jusqu'au pied, le coude étant écarté du corps. Le cheval peut aussi être cagneux du pied seulement, le pied seul étant tourné en dedans.*
6   *Genoux de bœuf : entraîne un mauvais aplomb des boulets.*

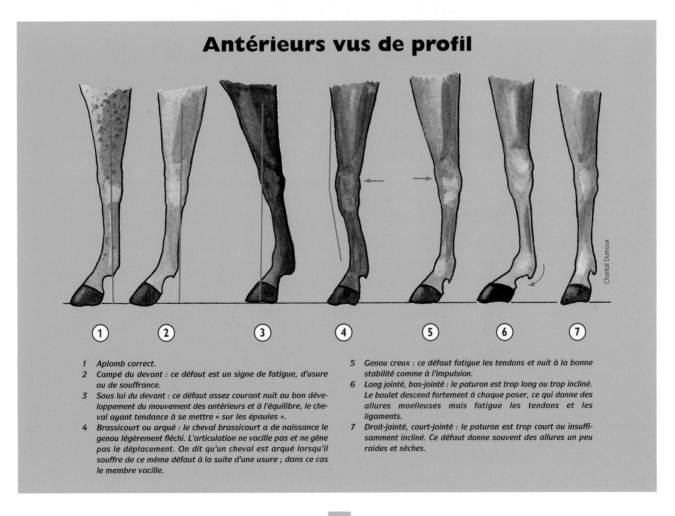

Antérieurs vus de profil

1   *Aplomb correct.*
2   *Campé du devant : ce défaut est un signe de fatigue, d'usure ou de souffrance.*
3   *Sous lui du devant : ce défaut assez courant nuit au bon développement du mouvement des antérieurs et à l'équilibre, le cheval ayant tendance à se mettre « sur les épaules ».*
4   *Brassicourt ou arqué : le cheval brassicourt a de naissance le genou légèrement fléchi. L'articulation ne vacille pas et ne gêne pas le déplacement. On dit qu'un cheval est arqué lorsqu'il souffre de ce même défaut à la suite d'une usure ; dans ce cas le membre vacille.*
5   *Genou creux : ce défaut fatigue les tendons et nuit à la bonne stabilité comme à l'impulsion.*
6   *Long jointé, bas-jointé : le paturon est trop long ou trop incliné. Le boulet descend fortement à chaque poser, ce qui donne des allures moelleuses mais fatigue les tendons et les ligaments.*
7   *Droit-jointé, court-jointé : le paturon est trop court ou insuffisamment incliné. Ce défaut donne souvent des allures un peu raides et sèches.*

EN MOUVEMENT, LE CHEVAL

• **billarde** : c'est en général la conséquence de membres ou de pieds cagneux ; le membre est jeté dehors dans un premier temps puis ramené en dedans ;

• **se croise** : les pieds se posent sur une seule et même piste (au lieu de deux pistes, une pour chaque bipède latéral) ;

• **se touche** : le pied au lever touche le membre au poser ; si cela provoque une atteinte, on dit qu'il se coupe ;

• **forge** : la pince du pied postérieur frappe le fer antérieur, faisant entendre un bruit métallique ;

• **est panard en marche** : le membre qui se lève se rapproche du membre posé ; cela expose le cheval aux atteintes ;

• **a des jarrets vacillants** : le jarret tourne vers l'extérieur lors du poser ; ce défaut affaiblit la propulsion.

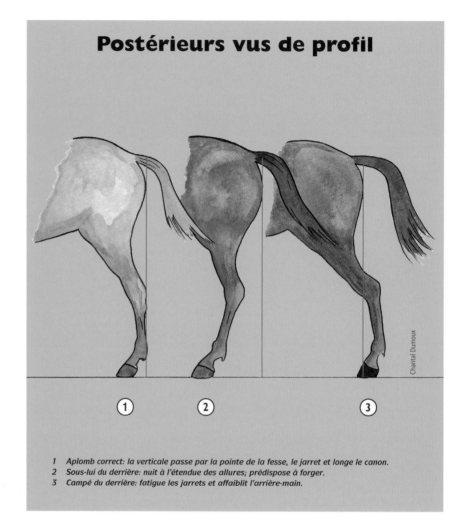

Postérieurs vus de profil

Chantal Dumoux

1 Aplomb correct: la verticale passe par la pointe de la fesse, le jarret et longe le canon.
2 Sous-lui du derrière: nuit à l'étendue des allures; prédispose à forger.
3 Campé du derrière: fatigue les jarrets et affaiblit l'arrière-main.

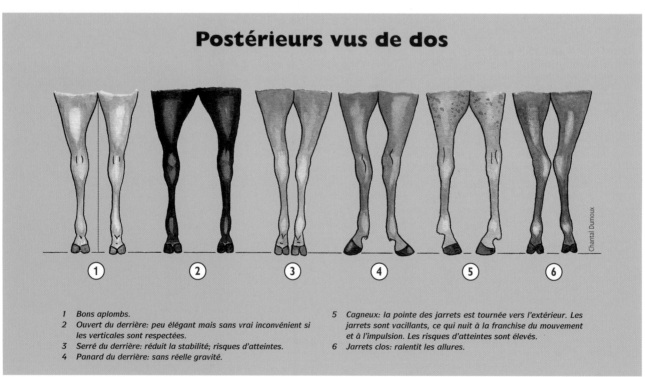

Postérieurs vus de dos

Chantal Dumoux

1 Bons aplombs.
2 Ouvert du derrière: peu élégant mais sans vrai inconvénient si les verticales sont respectées.
3 Serré du derrière: réduit la stabilité; risques d'atteintes.
4 Panard du derrière: sans réelle gravité.

5 Cagneux: la pointe des jarrets est tournée vers l'extérieur. Les jarrets sont vacillants, ce qui nuit à la franchise du mouvement et à l'impulsion. Les risques d'atteintes sont élevés.
6 Jarrets clos: ralentit les allures.

Le pied

« Pas de pieds, pas de cheval ! » Ce vieux dicton souligne combien cette partie du corps est fondamentale. Que ce soit au moment de l'acquisition d'un cheval ou simplement lors des soins quotidiens, il faut accorder une attention particulière aux pieds, donc les connaître parfaitement.

Sorrel

LE SABOT : UNE PROTECTION

Le pied du cheval est composé de parties vivantes et de leur enveloppe cornée, le sabot. Ce dernier constitue une boîte protectrice et joue un rôle important dans l'amortissement des chocs lorsque le cheval pose les pieds.

LA SOLE

Concave, elle forme une sorte de voûte souple et solide capable de soutenir le poids qu'elle reçoit. Une sole bien conformée ne doit pas prendre contact avec le sol. La ligne blanche qui entoure la sole marque la jonction avec la paroi.

LA PAROI (OU MURAILLE)

Elle est divisée en différentes parties qui sont la pince (partie avant), les mamelles, les quartiers et les talons. Elle se forme au niveau de la couronne, où tissus cornés et cellules tissulaires sont étroitement imbriqués pour former la partie externe dure du sabot. Cette paroi est identique à un ongle humain. Le cheval marche donc sur ses ongles ! L'intérieur de la paroi du sabot est fait de lamelles entrecroisées attachées à l'os du pied, le tout maintenant fermement le sabot en place.

BON A SAVOIR

Il y a 55 millions d'années, chaque pied du cheval comportait quatre doigts écartés afin que l'animal puisse évoluer sur un sol spongieux. Le changement de climat et le durcissement du sol firent qu'il se tint de plus en plus sur le seul doigt central. Les autres devenant inutiles, ils finirent par s'atrophier et par disparaître. Le cheval était devenu un ongulé monodactyle.

LA FOURCHETTE

Au niveau des talons, la paroi s'incurve en dedans vers la fourchette pour former les barres. Lorsque le cheval pose son pied, la fourchette, si elle est saine et normalement développée, entre en contact avec le sol. Elle permet ainsi aux fibrocartilages complémentaires de la troisième phalange de s'écarter et au coussinet plantaire d'amortir le choc. L'élasticité de la fourchette absorbe en partie l'onde de choc au moment du poser. La fourchette joue également un rôle tactile – elle permet au cheval de sentir le terrain.

Circulation et nerfs

Le sang circule dans le pied par les artères et par les veines digitales. Lorsque la fourchette entre en contact avec le sol, elle presse le coussinet plantaire, qui, en retour, refoule le sang dans la jambe. Deux nerfs principaux courent le long des vaisseaux sanguins et apportent les sensations dans toute la profondeur du pied.

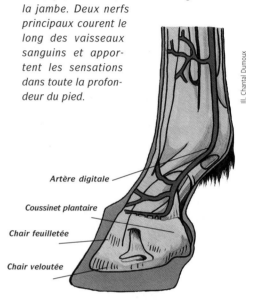

Ill. Chantal Dumoux

Artère digitale

Coussinet plantaire

Chair feuilletée

Chair veloutée

LE BOURRELET PÉRIOPLIQUE

C'est le bourrelet qui entoure tout le sabot à la limite poil-corne. Il sécrète un vernis qui protège la corne de l'humidité et du dessèchement.

De quoi est constitué le sabot ?

Le sabot comporte trois parties : la sole, la paroi et la fourchette.

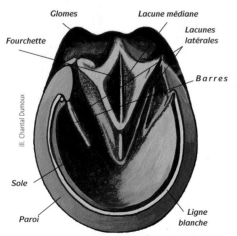

Ill. Chantal Dumoux

Glomes

Lacune médiane

Lacunes latérales

Fourchette

Barres

Sole

Paroi

Ligne blanche

Lacz/Sunset

Le sabot pousse à raison de 8 à 10 millimètres par mois. Huit ou dix mois sont donc nécessaires pour renouveler entièrement le sabot. La muraille est protégée par une fine couche imperméable. Tout comme nos ongles, la muraille n'est pas innervée. Un maréchal-ferrant peut donc planter des clous sans que le cheval ressente de la douleur.

Les os du pied

Le pied est comparable à un doigt humain. La paroi du sabot est comparable à un de nos ongles, le bout de nos doigts à l'os du pied du cheval, notre deuxième phalange à l'os de la couronne, notre première phalange à l'os du paturon.

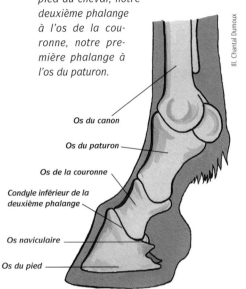

Os du canon

Os du paturon

Os de la couronne

Condyle inférieur de la deuxième phalange

Os naviculaire

Os du pied

Ill. Chantal Dumoux

COMMENT SE DÉPLACE LE CHEVAL ?

Le condyle inférieur de la deuxième phalange (os de la couronne) joue le rôle de levier entre l'os du pied et celui de la couronne, ce qui rend possible le mouvement du pied.

Deux groupes de tendons permettent au pied de bouger :
• les extenseurs, qui passent sur le devant de la jambe et s'attachent au sommet avant de l'os du pied ;
• les fléchisseurs, qui passent à l'arrière.

L'os naviculaire, situé à l'arrière de l'os du pied, reçoit la fixation d'une partie du tendon perforant (fléchisseur) et sert de poulie de renvoi et d'amortisseur.

Le poids du cheval est supporté par la paroi, non par la sole. Pendant de brefs instants, au galop, par exemple, la totalité du poids du cheval est supportée par la paroi d'un seul pied : cela prouve la dureté de cette dernière !

Lacz/Sunset

La couleur de la corne correspond à la pigmentation. Elle est blanche lorsque la peau est blanche, noire lorsque la peau est foncée. Il n'est pas rare que les pieds soient de différentes couleurs, en cas de balzanes ou chez les chevaux tachetés, comme ces poulains pintos. On trouve de même des sabots striés noir et blanc. On dit que la corne blanche est plus souple et moins résistante, la corne noire plus dure.

Extérieur du pied

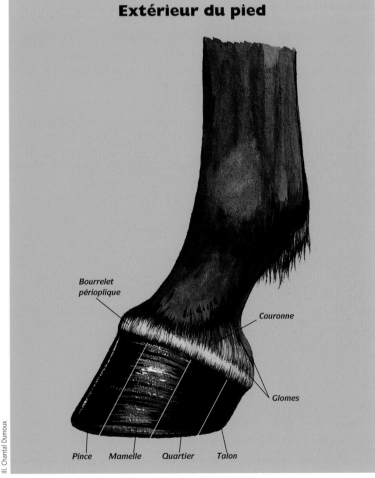

Bourrelet périoplique

Couronne

Glomes

Pince   Mamelle   Quartier   Talon

Ill. Chantal Dumoux

Coupe du pied

Le pied est l'une des parties les plus importantes du cheval. La paroi des sabots (ou muraille) supporte tout le poids de l'animal. Le proverbe dit : « Pas de pied, pas de cheval ».

Os

Tendon extenseur

Tendon perforant

Ill. Chantal Dumoux

Les particularités

*On appelle particularités tous les signes particuliers qui modifient l'aspect d'une robe,
même sur une zone restreinte. Les particularités permettent d'identifier le cheval :
on s'en sert pour donner son signalement précis.*

Kit Houghton

LES PARTICULARITÉS DE LA TÊTE

Elles regroupent toutes les marques blanches situées sur la tête.

MARQUES EN TÊTES

Ce sont des taches blanches plus ou moins importantes localisées sur le front du cheval. On les définit par leur forme, leur étendue, leur régularité. On distingue principalement, par ordre de grosseur :

• quelques poils en tête

• en tête mélangée

• pelote

• étoile

• losange

• fortement en tête

Bai brun foncé ; fortement en tête, liste large, irrégulière, déviée à gauche ; boit-dans-son-blanc ; antérieur droit : balzane ; antérieur gauche : balzane haut-chaussée ; deux grandes balzanes postérieures, corne bicolore.

Kit Houghton

LISTES

Les listes sont des bandes blanches courant sur le chanfrein. Elles peuvent se fondre avec une marque en tête. Elles sont définies par leur largeur, leur longueur et leur direction.

Une liste peut ainsi être large, étroite ou fine, régulière ou irrégulière, déviée, incomplète ou interrompue.

Un cheval dont la liste couvre la totalité du chanfrein, nez et yeux compris, est dit belle-face. Si elle couvre la moitié de la face il est demi belle-face.

Un cheval dont le nez, les lèvres et le menton sont blancs est dit boit-dans-son-blanc.

Marques et listes peuvent être herminées, bordées, mélangées (avec des poils de couleur), teintées (avec une teinte légère).

NEZ DE RENARD

Marque rousse ou roussâtre sur le pourtour du nez chez un cheval de robe foncée.

CAP DE MAURE

Cheval isabelle, rouan ou gris dont la tête est entièrement ou partiellement noire.

LES PARTICULARITÉS DES MEMBRES

Les particularités des membres regroupent essentiellement les balzanes et les zébrures.

LES BALZANES

Les balzanes sont des marques blanches partant du pied et remontant plus ou moins haut sur les membres.

• **trace de balzane**: marque blanche au niveau de la couronne et du pâturon, incomplète (ne fait pas le tour du membre) ;

• **principe de balzane** : ne dépasse pas le boulet ;

• **petite balzane** : comprend le pâturon et le boulet ;

• **balzane** : remonte sur le canon, jusqu'à mi-hauteur ;

• **grande balzane ou balzane chaussée** : va jusqu'au genou ou au jarret ;

• **balzane haut-chaussée** : comprend ou dépasse le genou ou le jarret

LES ZÉBRURES

Ce sont des lignes noires plus ou moins circulaires, horizontales, qui marquent les membres.

Belle-face, ladre au bout du nez et autour des yeux.

Bob Langrish

Alezan ; belle-face bordée, ladre en bout du nez ; balzanes irrégulières antérieures ; grandes balzanes postérieures.

Bob Langrish

LES PARTICULARITÉS DU CORPS

• **Crins blancs** : les crins sont blancs sur une robe autre que le blanc.

• **Crins lavés** : les crins sont plus clairs que la robe

• **Crins mélangés** : crins de différentes couleurs mélangés, ou crins blancs dans les crins noirs d'une robe foncée.

• **Raie de mulet** : longue ligne noire, étroite, qui court le long de l'échine du cheval, du garrot à la naissance de la queue.

• **Bande cruciale** : bande noire ou foncée courant transversalement sur le garrot et les épaules. La bande cruciale accompagne souvent une raie de mulet.

• **Ventre de biche** : sur une robe foncée,ventre clair, d'une teinte plus ou moins fauve.

Gris souris, crins mélangés, cap de Maure, raie de mulet, zébrures.

BON A SAVOIR

La robe d'un cheval peut varier au fil des ans. La plupart des poulains naissent bai, brun ou alezan. Leur robe se transforme ultérieurement.

Les chevaux gris, par exemple, naissent en général brun-noir, puis leur robe prend une teinte gris très foncé, qui s'éclaircit avec l'âge, jusqu'à devenir blanche. Les chevaux blancs très âgés sont fréquemment truités.

Les autres robes peuvent également blanchir par endroit, se délaver, se ternir ou roussir avec l'âge – mais aussi en fonction de l'exposition au soleil.

AUTRES PARTICULARITÉS

Ce sont les particularités qui peuvent apparaître dans différentes zones de la robe, sans localisation déterminée.

LES NUANCES DES ROBES

A l'intérieur de chaque robe, on distingue différentes nuances. Elles peuvent être par exemple claire, foncée, brûlée, cuivrée, cerise, mate.

LES REFLETS BRILLANTS

Ils peuvent être argentés, cuivrés, dorés, bronzés, moirés, jais.

LES POILS MÉLANGÉS

• **pommelé** : les robes sont caractérisées par des zones circulaires plus foncées, posées comme des petits ronds. Les pommelures sont typiques de la robe grise, mais on voit aussi des bais, des bais bruns, des palominos pommelés ;

• **miroité** : zone plus brillante que la robe ;

• **rubican** : quelques poils blancs apparaissant sur certaines parties du corps, ou sur tout le corps, sur une robe foncée ;

• **neigé** : bouquets de poils blancs sur une robe foncée ;

• **grisonné** : mélange de poils blancs et noirs sur certains points du corps ;

• **bordé** : mélange de poils blancs et de couleur sur la limite d'une marque ;

• **moucheté** : bouquets de poils noirs sur une robe claire ;

Isabelle foncé; reflets dorés; moiré; crins mélangés dans la queue, raie de mulet. Pelote en tête irrégulière. Trace de balzane postérieure droite.

• **truité** : bouquet de poils rouge sur une robe claire ;

• **herminé** : taches noires plus grandes que des moucheture sur une robe claire ;

• **charbonné** : taches noires mates, arrondies ;

• **marques de feu** : reflets fauves sur une robe foncée ;

• **marques accidentelles** : marques généralement blanches venant à l'emplacement d'une ancienne blessure ;

• **ladre** : zone de peau non pigmentée, rose, sans poils ;

• **zain** : se dit d'un cheval dont la robe ne comporte pas un seul poil blanc ;

• **épis** : les épis sont des groupes de poils prenant une direction irrégulières. On parle d'épis concentriques ou excentriques.

Noir jais. Zain.

Les robes : nouvelle nomenclature

*En janvier 1999, l'administration des Haras nationaux français a proposé
une nouvelle nomenclature des robes destinée à remplacer l'ancienne classification.
Compliquée ? Pas lorsqu'on a pris la peine d'en comprendre le principe.*

UNE CLASSIFICATION EN QUATRE ÉTAPES

Pour déterminer la robe d'un cheval, il faut désormais procéder par étapes. Les deux premières étapes permettent de caractériser la majorité des chevaux. Les deux dernières permettent de déterminer les robes complexes.

PREMIÈRE ÉTAPE : DÉTERMINER LA ROBE DE BASE

La première étape consiste à déterminer la robe de base du cheval, c'est-à-dire sa couleur, abstraction faite des poils blancs. Pour la déterminer, il faut « retirer » mentalement tous les poils blancs, qu'il s'agisse de marques (balzanes, listes, etc.), de plages blanches (chevaux de couleur) ou de poils blancs disséminés dans la robe (gris par exemple). Ce qui reste permet en principe de définir la robe de base (alezan, bai, etc.).

Lorsqu'il est difficile ou impossible de retrouver la robe de base, on classe le cheval dans la catégorie « autres ».

DEUXIÈME ÉTAPE : DÉTERMINER LES ADJONCTIONS

On appelle adjonctions tous les détails remarquables de la robe du cheval.

• La couleur de la peau

Lorsqu'on décrit les robes, on ne parle souvent que de poils et de crins et on oublie la couleur de la peau. Celle-ci peut être noire, grise ou

rose, de couleur uniforme ou tachetée (grise avec des plages roses, par exemple).

• La couleur des yeux

De quelle teinte sont les iris ? Le cheval a-t-il un œil bleu ou les deux sont-ils de cette couleur ? Voit-on le blanc de l'œil ?

• La raie de mulet et les zébrures sur les jambes

Le cheval a-t-il une bande plus sombre sur l'échine (raie de mulet) ou sur l'épaule (bande scapulaire) ? Ses jambes sont-elles rayées?

Ces particularités constituent un patron de robe caractéristique.

ON NOTE ENSUITE :

SUR LA TÊTE

• Le cap de maure

L'extrémité de la tête, et parfois une grande partie de celle-ci, est plus foncée que le reste du corps. Fréquent chez les chevaux souris ou rouannés.

• Le nez de renard

Le bout du nez est beaucoup plus clair que le reste de la tête et a une teinte plus ou moins roussâtre.

SUR LE VENTRE

• Le ventre de biche

Le dessous du ventre est plus clair que le reste de la robe. Parfois, on note des zones plus claires à la racine des membres (au

1. Entraînez-vous à décrire les robes : noir, c'est noir ! La famille suffit à décrire la robe.

niveau du passage de sangle, du grasset, de l'intérieur des cuisses).

SUR LES CRINS

• Les crins lavés

Crins plus clairs que la robe, dans des tons blonds ou gris, parfois poivre et sel.

EN DIFFÉRENTS POINTS DU CORPS

• Les pommelures

Ces dessins concentriques sont caractéristiques de certaines robes (grise, palomino, silver dapple, etc.)

• Le ladre

Zone de peau dépigmentée et sans poils. On rencontre fréquemment du ladre sur les lèvres, autour des yeux, sur les parties génitales, sous la queue, etc.

• Les charbonnures

Zones de poils bruns perdus dans une robe plus claire.

MÉLANGES ET PANACHURES

La robe de certains chevaux, dits « de couleur », présente de nombreux poils blancs. Ces poils peuvent être soit disséminés, soit regroupés en plages blanches.

Pour décrire correctement un rouanné, un pie ou un tacheté, il faut entrer dans le détail de ces robes complexes.

TROISIÈME ÉTAPE : LES MÉLANGES DE POIL

Cette étape permet de caractériser les chevaux dont la robe est parsemée de poils blancs ou noirs.

Commençons par les semis de poils blancs.

• Les poils blancs sont présents dès la naissance du cheval et n'évoluent pas dans le temps: on a affaire à un rouannage.

• Le cheval naît noir, bai ou alezan et se met à grisonner au fil des ans : il s'agit alors d'un gris.

Ces deux phénomènes (rouannage et grisonnage) peuvent affecter n'importe quelle robe de base.

Plus rarement, on constate un semis de poils noirs ou un noircissement de l'extrémité des poils. Un isabelle fumé, par

Dans la famille des alezans, la robe de base est café au lait. Il faut noter les adjonctions: pommelures, crins lavés. On est déjà dans la deuxième étape.

exemple, porte le nom de louvet (parce que cette robe fait penser au pelage du loup).

QUATRIÈME ÉTAPE : LES PANACHURES

Les panachures sont de vastes plages blanches étalées sur la robe de base du cheval. On distingue deux types de panachures.

• Les panachures ont un dessin irrégulier : on est en présence d'un cheval pie.

Les pies se subdivisent, en fonction du dessin et de la répartition des taches blanches, en différents groupes.

• Le blanc est réparti de façon plutôt symétrique et est souvent maculé de taches foncées: on a affaire à un cheval tacheté – à un appaloosa, par exemple.

Les tachetés appartiennent à un ensemble de robes complexes et très diverses.

2. Une robe unie, des extrémités noires : famille des bais, robe de base isabelle – clair.

GROS PLAN
Utiliser le tableau des robes

Il faut entrer dans ce tableau par la colonne de gauche, ce qui permet de déterminer d'abord à quelle famille appartient la robe. Si la robe n'est pas bien décrite par sa seule famille, il faut passer à la colonne du milieu : les robes de base comprennent les différentes couleurs d'une même famille. La dernière colonne sert, grâce aux nuances, à donner une description très précise du cheval, utile pour établir son signalement.

Famille de robes	Robe de base	Énoncé de la robe (quelques nuances)
Noir	noir	pangaré (noir avec des poils fauves)
Bai (robe unie avec extrémités noires)	bai isabelle souris	bai foncé, bai cerise, bai clair clair ou foncé
Alezan	alezan alezan brûlé café au lait palomino	clair, normal ou foncé normal, cuivré ou foncé clair, normal ou cuivré
Autre (on ne sait plus de quelle couleur est la robe de base)	gris léopard tacheté chocolat crème blanc	truité, moucheté, etc. cremello ou perlino

Les robes diluées :
le gène palomino

Le gène palomino provoque une dilution des robes alezane et baie qui aboutit aux robes palomino et isabelle. Lorsqu'il est présent en double, ce gène est responsable de la robe crème.

Sorrel

UN GÈNE DE DILUTION

Le gène palomino fait partie des nombreux gènes de dilution. Il n'affecte que le pigment marron – jamais le noir. En outre, il agit différemment sur les poils et sur les crins.

NOIR, MARRON OU LES DEUX

Les poils et les crins des chevaux sont colorés par deux pigments : l'un noir, l'eumélanine; l'autre marron, la phaeomélanine. Parfois, seul le pigment noir est présent, le marron n'étant pas synthétisé. Les chevaux sont alors noirs. D'autres fois, c'est l'inverse : il n'existe que du pigment fauve, le noir étant absent – la robe est alors alezane. Lorsque les deux pigments sont présents, ils se partagent différents emplacements et dessinent ce qu'on nomme un patron de robe: celui des bais, qui ont des crins et des extrémités noires et un corps marron.

On retrouve là les trois familles de robes décrites par la classification : l'un ou l'autre pigment ou les deux à la fois.

DES DILUANTS

Chacune de ces familles se décline en plusieurs robes de base, qui sont fonction des gènes altérant parfois la répartition de ces

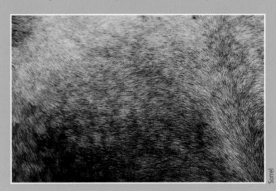

BON A SAVOIR

La robe des palominos est souvent entachée de charbonnures, c'est-à-dire de zones de poils noirs. Il s'agit d'un défaut que les éleveurs de palominos cherchent à éviter.

On trouve aussi des palominos fumés, c'est-à-dire dont l'extrémité des poils est teintée de noir. Ce sont les chevaux que l'on nommait autrefois louvets.

Il n'est pas rare, enfin, que la robe des palominos s'orne de pommelures (ci-dessous).

pigments. Certaines particularités génétiques agissent en effet comme des diluants sur les pigments. C'est le cas du gène palomino, qui agit sur le pigment marron – pas du tout sur le noir – et davantage sur les crins que sur les poils.

UN SEUL GÈNE PALOMINO

Lorsqu'un seul gène palomino est présent chez un alezan, il provoque la robe caractéristique du même nom : le crin ivoire et le poil jaune mordoré de l'alezan crin lavé.

Ces crins presque blancs sont ceux d'un palomino, non ceux d'un alezan crins-lavés.

Sur un cheval bai, le gène palomino aboutit à la robe isabelle. Les crins noirs ne sont pas affectés, tandis que les poils marron sont dilués.

Chez un noir, le gène palomino ne s'exprime pas, en général, faute de pigment fauve. Toutefois, il arrive que certains chevaux noirs portent aussi le gène pangaré qui dessine des taches marron sur le bout du nez, entre les cuisses et à la racine des membres (un peu comme chez les chiens bas-rouges). Aussi, lorsque, chez un noir, le bout du nez est jaune et non marron, peut-on suspecter la présence du gène palomino.

DEUX GÈNES PALOMINOS

Lorsque deux gènes palominos sont présents chez un même cheval, leurs effets s'additionnent. On dit que ce gène est codominant par opposition aux gènes dominants qui s'expriment pleinement, même à un seul exemplaire, et aux gènes récessifs qui ne s'expriment qu'en paires. Le gène palomino ne s'exprime qu'à moitié lorsqu'il est seul et pleinement lorsqu'il est en paire. Il transforme alors les alezans en crèmes ou cremello et les bais en perlino. Ces deux robes sont extrêmement difficiles à distinguer l'une de l'autre. Le cheval apparaît presque blanc, mais il s'agit d'un blanc cassé sur lequel tranche encore le blanc plus pur des balzanes et des marques en tête.

A savoir

Autrefois appelés à tort albinos, les crèmes n'ont, en fait, rien à voir avec le phénomène bien connu de l'albinisme, qui n'existe pas chez le cheval.

Sorrel

Sur une robe palomino, les marques blanches se distinguent encore très nettement.

LES ROBES LIÉES AU GÈNE PALOMINO

Il n'est pas toujours simple de distinguer les robes dues au gène palomino de celles, très proches, provoquées par d'autres gènes de dilution. Cherchons à les identifier.

IVOIRE ET OR

La robe palomino se distingue de l'alezan crin lavé par un poil plus clair, plus jaune et plus doré. Le crin est également plus uniformément délavé, plus brillant. Les amateurs parlent de couleur « ivoire ». Le poil, lui, est décrit comme allant du jaune pâle à l'or profond.

LE CAS DES ISABELLES

Les robes isabelle ne sont pas toujours dues au gène palomino. Certains isabelles doivent la dilution de leur robe baie à un autre gène, dit « sauvage ». C'est, par exemple, le cas des poneys fjords, dont la robe n'appartient pas à la famille des palominos.

On distingue les deux familles d'isabelles aux adjonctions. Les isabelles sauvages, comme les fjords, portent en effet une raie de mulet, une crinière souvent bicolore et des rayures sur les membres.

Pour tout compliquer, il arrive que les deux gènes de dilution – sauvage et palomino – soient présents chez un même cheval (un ibérique ou un poney, par exemple). Le résultat est alors un isabelle au poil très clair (couleur café au lait) porteur d'une raie de mulet.

LES CRÈMES

Lorsque deux exemplaires du gène de dilution palomino sont présents chez un même cheval, on a affaire à un crème. Ses poils et ses crins sont blanc cassé. On distingue encore les balzanes et marques en tête qui sont plus blanches que le fond de robe. La peau est rose (et sujette aux coups de soleil) et les yeux bleus. A l'œil, il est quasi impossible de distinguer les perlinos (issus d'une robe baie diluée) des cremellos (issus d'un alezan dilué).

LE SAVIEZ-VOUS ?

En Espagne, le palomino est appelé isabella (« isabelle » se dit bayo). Cette appellation fait référence à la reine Isabelle qui avait juré de ne pas changer de linge tant que la ville d'Ostende ne serait pas prise. Le siège s'éternisant, le linge vira au jaune… Une erreur de traduction attribua en France le terme isabelle aux chevaux jaunes à crins noirs.

Animals Animals/Sunset

Les robes diluées : les crins lavés

*Divers gènes sont capables de délaver les crins des chevaux.
On rencontre donc des chevaux de robe alezane, mais aussi baie ou noire, qui ont les crins lavés.*

Sorrel

LE GÈNE « CRINS LAVÉS »

Certains gènes sont capables de délaver les crins des alezans ; ils n'agissent que sur la phaeomélanine, pigment marron. Un autre gène possède la faculté de délaver les crinières noires ; il n'agit que sur l'eumélanine, pigment noir.

LE GÈNE F

On a longtemps cru qu'il n'existait qu'un seul gène récessif capable de délaver les crins des alezans. Ce gène était baptisé «F», pour «flaxen» (couleur de lin en anglais). Il n'agissait bien sûr que sur le pigment marron des crins, pas ou peu sur le pigment marron des poils et pas du tout sur le pigment noir.

Le saviez-vous ?

On rencontre beaucoup de crins lavés chez les races lourdes. Mais, attention, il ne s'agit pas toujours du même gène. Il faut bien déterminer la robe de base avant de trancher, par exemple, entre un alezan crins lavés, un alezan brûlé crins lavés et un silver dapple.

PLUSIEURS GÈNES POUR DÉLAVER LES CRINS

Aujourd'hui, on pense plutôt que plusieurs gènes ont la faculté de délaver les crinières et les queues marron. C'est ce qui explique que l'on rencontre des crins presque blancs (couleur lin), d'autres plus blonds, d'autres plus foncés et également des mélanges crins clairs-crins foncés. Ces différents gènes agiraient essentiellement sur la phaeomélanine (le pigment marron) des crins.

LE COIN DU PRO

Le gène Zz (ou silver dapple) n'est guère fréquent. On le rencontre néanmoins couramment chez les traits comtois, les shetlands, les islandais, les rocky mountain horses, les kentucky mountain saddle horses, etc. Ce gène est dominant et s'exprime donc pleinement, même en unique exemplaire.

NE PAS CONFONDRE

Il est facile de confondre un cheval alezan crins lavés avec un palomino, un bai aux crins lavés par le gène « silver dapple » ou encore avec un cheval champagne.

• Les palominos ont généralement le poil plus jaune que les alezans crins lavés et les crins plus uniformément ivoire. La distinction est parfois difficile, d'autant plus que les éleveurs de palominos ont tendance à utiliser des reproducteurs alezans ou alezan brûlé aux crins lavés qu'ils croisent avec leurs palominos et leurs crèmes.

• Les bais aux crins lavés ont, au contraire, le poil encore plus rouge-fauve que les alezans crins lavés. Ils présentent en principe des extrémités – le bas des jambes – noires.

• Les champagnes ont à la fois le poil plus jaune, les crins plus uniformément clairs et la peau tachetée.

• Les alezans brûlés crins lavés peuvent facilement être confondus avec les noirs dilués par le gène « silver dapple ».

Le café-au-lait crins lavés appartient à la famille des alezans. Son poil est clair, souvent plus clair à la racine qu'à la pointe, mais sa peau est noire.

Lanceau/Cogis

LE GÈNE SILVER DAPPLE

Il existe un gène qui délave les crins noirs des noirs, des bais, des isabelles et des souris, comme il existe des gènes qui délavent les crinières alezanes.

La robe de Grunox, le cheval de Monica Theodorescu, est un bon exemple de robe difficile à déterminer. Le poil est assez rouge, le nez noir : si les flancs et le ventre portent des pommelures, et si les extrémités des membres sont noires, il s'agit sans doute d'un silver dapple. Si, au contraire, l'extrémité des membres est plutôt claire, on penchera pour un alezan brûlé crins lavés.

Gros plan

Il est parfois bien difficile de faire la distinction entre un alezan crins lavés et un palomino. Toutefois le palomino (ci-contre) a, généralement, un poil plus jaune que l'alezan et sa robe prend des reflets franchement dorés qui sont rares chez l'alezan.

LES CRINS ET LES POILS

Le gène silver dapple (Zz) délave les crins noirs, mais aussi, partiellement, les poils noirs. Il agit sur le pigment noir ou eumélanine. Il provoque également l'apparition de pommelures (dapples en anglais) sur la robe. En revanche, il n'affecte pas le pigment marron (phaeomélanine). C'est, en quelque sorte, l'équivalent du gène palomino, mais pour le pigment noir.

Les crins lavés par ce gène sont parfois poivre et sel, parfois uniformément ivoire, comme chez un alezan crins lavés.

SUR UNE BASE NOIRE

La robe silver dapple a été décrite pour la première fois sur un poney aux crins argentés (silver en anglais), au poil alezan brûlé foncé (couleur chocolat) et pommelé. Cette description reflète parfaitement les effets de ce gène sur une base noire. On peut donc facilement confondre un noir délavé par le gène silver dapple et un alezan brûlé foncé aux crins lavés. Les pommelures constituent cependant un bon indice. La race comtoise, par exemple, présente ces deux phénotypes.

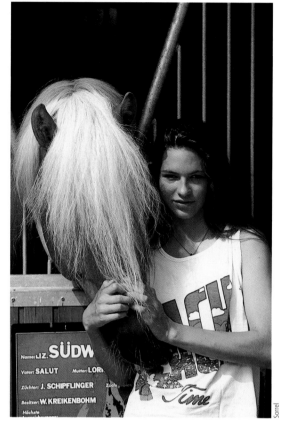

SUR UNE BASE BAIE

Chez un bai, le gène silver dapple délave les crins et le cheval ressemble alors à un alezan crins lavés. On peut toutefois distinguer un bai silver dapple à ses extrémités noires et à son poil, généralement plus rouge que chez l'alezan.

La combinaison du gène silver dapple et du gène sauvage chez un cheval de base baie produit un animal qui ressemble beaucoup à un palomino, mais avec une raie de mulet. Son poil est jaune (délavé par le gène sauvage) et ses crins délavés.

BON A SAVOIR

Les races les plus connues pour leur robe alezan crins lavés sont le haflinger (ci-contre), le trait breton et certains comtois. On en rencontre aussi quelques-uns dans les races de sport: pur-sang anglais, selle français, arabe, quarter horse, etc. C'est également une robe appréciée dans de nombreuses races de poneys.

Les gris

Les chevaux que l'on nomme « gris » sont ceux qui grisonnent avec le temps.
Des poils blancs parsèment leur robe de base, qu'ils envahissent progressivement.
Souvent, ces chevaux finissent par être complètement blancs bien que leur peau soit noire.

Kit Houghton

LES GRIS

Le phénomène du grisonnement est très fréquent chez de nombreuses races, y compris le selle français et le pur-sang. Il est une quasi-constante chez les camargues, les lipizzans, les PRE, les percherons et bien d'autres encore.

LES NOUVEAUX GRIS

Dans l'ancienne classification, les gris étaient des chevaux à deux poils mélangés : noirs et blancs. Dans la nouvelle classification, le mot « gris » désigne un cheval de n'importe quelle robe en train de grisonner et de tendre vers le blanc. On appelle donc gris, par exemple, des bais ou des alezans en train de grisonner. Le nombre de poils mélangés ainsi que leur couleur n'ont plus guère de sens.

UN POULAIN NÉ FONCÉ

Les poulains porteurs du gène du grisonnement naissent souvent d'une couleur plus foncée que les autres : noirs, bai foncé ou alezan brûlé. Au fil des mois, des poils blancs commencent à apparaître sur leur tête, généralement autour des yeux. La vitesse du grisonnement est variable d'une race à l'autre et d'un individu à l'autre. Les jambes grisonnent généralement en même temps que la tête. Certains chevaux gris, comme les arabes, présentent parfois des truitures, c'est-à-dire de petites mèches de poils restées marron-rouge, ou des moucheures, qui sont de petits bouquets de poils noirs. Enfin, la robe des chevaux qui grisonnent est souvent pommelée.

CRINS BLANCS OU CRINS NOIRS

En ce qui concerne les crins, on distingue deux types de gris. Certains chevaux ont les crins qui blanchissent rapidement. Ce sont généralement ceux qui finissent complètement blancs. D'autres conservent longtemps des pigments noirs dans la crinière et dans la queue et deviennent beaucoup moins rapidement tout à fait blancs – parfois, même, ils ne le deviennent jamais.

La peau des gris est très sombre, car les pigments restent dans la peau au lieu de passer dans le poil.

LE SAVIEZ-VOUS ?

Les particularités des gris que sont les pommelures, les moucheures ou les truitures ne semblent pas avoir une origine génétique.

Le gène du grisonnement étant dominant, un étalon gris produit de nombreux enfants gris.

Bob Langrish

Sorrel

UNE PEAU SOMBRE

La peau des gris est généralement gris très foncé, presque noire. Le phénomène du grisonnement est, en effet, dû au fait que les pigments, au lieu de migrer dans le poil, s'accumulent dans les cellules pigmentaires de la peau, les mélanocytes. Cette surcharge pigmentaire provoque souvent des tumeurs de la peau ou mélanomes. Ceux-ci apparaissent en général sous forme de gros ganglions suspects au niveau de la sous-gorge, autour de l'anus et du fourreau. Toutes ces tumeurs ne sont pas malignes, mais certaines le sont. C'est la raison pour laquelle les gris vivraient en moyenne un peu moins longtemps que les autres chevaux. Chez certains gris, comme les ibériques ou les lipizzans, on assiste néanmoins aussi à une dépigmentation irrégulière de la peau, notamment au niveau du bout de nez et autour des yeux.

Tous les chevaux blancs ne sont pas vieux : certaines races, comme le camargue, mais aussi le lipizzan et le connemara, blanchissent plus vite que d'autres, au point qu'un cheval peut devenir blanc avant sa cinquième année.

Le coin du pro

• *Comment différencier un gris devenu blanc d'un véritable blanc ou d'un crème ?*
Les gris, sous leurs poils blancs, ont toujours la peau noire, tandis que les crèmes et les blancs véritables ont la peau rose (ci-dessous, un crème).
• *Comment différencier un cheval en train de grisonner d'un rouanné ?*
Les rouannés conservent la même proportion de poils blancs avec le temps et n'en ont pas, le plus souvent, sur la tête et les membres. Généralement, ils ne sont pas pommelés.

BON A SAVOIR
Le gris efface tout

Lorsqu'on sélectionne sur la couleur, il faut éviter d'introduire des reproducteurs gris. Il serait dommage, en effet, qu'une belle robe pie s'efface avec les années sous l'effet du grisonnement. Il en va de même pour les chevaux isabelle, les palominos, les tachetés, etc. Le gris efface tout !

LE GÈNE DU GRISONNEMENT

Le gène responsable du grisonnement est dominant. Il s'exprime par-dessus n'importe quelle autre robe qu'il « efface » progressivement.

UN GÈNE DOMINANT

Le phénomène du grisonnement est dû à un gène dominant que l'on désigne par le symbole Gg. Un cheval qui grisonne a donc forcément au moins un parent gris. D'autre part, un reproducteur gris croisé avec un non-gris a une chance sur deux d'engendrer un poulain qui grisonnera en vieillissant. Lorsqu'on croise deux gris ensemble, on a au minimum trois chances sur quatre d'obtenir un poulain gris (si les deux parents sont hétérozygotes). Dans certaines races comme les camargues ou les lipizzans, de nombreux chevaux sont homozygotes pour ce caractère (ils possèdent deux gènes de grisonnement). Tous leurs poulains grisonneront alors systématiquement.

Tandis que chez certains chevaux les crins blanchissent en même temps que les poils (premier plan), chez d'autres, les crins noirs se conservent longtemps (second plan).

UN GÈNE POUR BLANCHIR?

Certains pensent que les gris homozygotes deviennent blancs plus rapidement que les hétérozygotes. Aucune recherche documentée ne le prouve. Il semble plutôt que la vitesse d'extension du blanc dépende d'autres gènes modificateurs. Dans certaines races, comme le percheron, les chevaux ne deviennent jamais tout à fait blancs, ou alors très tardivement. Dans d'autres, comme le camargue ou le lipizzan, tous les chevaux finissent blancs, et le deviennent parfois dès leur quatrième année.

Les pies

*Dans la nouvelle nomenclature des robes, les pies sont enfin pleinement
pris en considération et les différents patrons de robe nettement distingués.
On y dit clairement que les pies sont des chevaux colorés tachés de blanc et non l'inverse.*

LE CHEVAL PIE

Les pies portent sur leurs flancs des panachures blanches asymétriques. Sous les taches blanches, on retrouve toujours une robe de base classique (bai, noir, alezan, etc.).

DES CHEVAUX DE COULEUR

Les pies sont des chevaux dont la robe est ornée de vastes plages blanches au dessin asymétrique. Ce phénomène peut affecter toutes les robes de base. On rencontre donc des noirs pie, des bais pie, des alezans pie, des isabelles pie, des palominos pie, des crèmes pie, des souris pie, etc.

Ce phénomène est dû à un défaut de migration vers la peau, au cours de la vie embryonnaire du poulain, des cellules pigmentaires (les mélanocytes). On constate d'ailleurs que sous les plages de poils blancs, la peau des pies est rose (donc sensible aux coups de soleil).

DIVERSES EXTENSIONS

Il existe plusieurs gènes différents susceptibles de provoquer ce phénomène. A chacun correspond une répartition différente des taches blanches. Plusieurs gènes pie peuvent coexister chez un même cheval.

Pour chaque type de pie, on observe divers degrés d'extension du blanc. Certains animaux sont presque entièrement blancs. D'autres ne présentent, à l'inverse, qu'une seule petite plage blanche, sur le flanc ou sur le ventre, par exemple. Souvent d'ailleurs, ces derniers ne sont pas enregistrés comme pies. Pourtant, ils transmettent un gène pie. Entre ces deux extrêmes, on trouve tous les intermédiaires. On ne sait pas encore très bien ce qui détermine le degré d'extension du blanc chez chaque individu. On suspecte l'existence de facteurs génétiques qui favoriseraient la grandeur des balzanes chez tous les chevaux et l'importance des plages blanches chez les pies.

Bob Langrish

Gros plan

Le « halo » qui marque parfois les limites – en principe nettes – d'un pie tobiano s'explique facilement : les zones de peau rose sont un peu plus petites que les plages de poils blancs qui les recouvrent.

Bob Langrish

On observe que les chevaux alezans pie ont souvent davantage de blanc que les autres.

LES DIFFÉRENTS PIES

On dénombre quatre types de pies. En France, presque tous les chevaux pie sont des tobianos. Les autres patrons de robe pie – l'overo, le sabino et le balzan – sont beaucoup plus rares.

TOBIANO

Voici les caractéristiques de la robe tobiano.

• Présence presque systématique de quatre balzanes blanches haut chaussées.

• Taches blanches franchissant la ligne dorsale comme si le cheval avait reçu un pot de peinture sur le dos.

• Taches blanches d'orientation plutôt verticale et aux bords généralement nets.

• Sur la tête, il n'y a, le plus souvent, pas d'autre tache que celle des marques en tête. Les yeux sont rarement vairons (un œil étant, dans ce cas, bleu).

• Les crins sont souvent bicolores car envahis par le blanc.

Il arrive parfois qu'on trouve, chez les tobianos, des taches plus sombres au centre de taches blanches, un peu comme chez les tachetés (appaloosas spotted blanket). Les Américains les nomment ink spots («taches d'encre»). Les chevaux homozygotes posséderaient plus souvent ces taches sombres.

Le coin du pro

Tovero

On rencontre certains chevaux qui portent simultanément le gène tobiano et le gène overo. Ils sont souvent presque entièrement blancs: seuls le haut du crâne et les oreilles sont colorés. On nomme ces chevaux medecine ha parce qu' ils étaient les favoris des medecine-men (sorciers indiens).

Bob Langrish

Bon à savoir

Le patron de robe tobiano est dû au gène dominant To. Il est donc très facile d'éliminer la robe tobiano d'une race puisque ce caractère est toujours apparent et ne resurgit jamais en sautant une génération. Un reproducteur tobiano a au minimum une chance sur deux d'engendrer un tobiano quel que soit son partenaire.

OVERO

Le patron de robe overo est beaucoup plus rare que le tobiano.

Voici les caractéristiques de cette robe.

• Taches blanches au dessin plutôt horizontal. Ces taches s'étendent surtout sur les flancs, sur l'encolure ou sur le ventre, mais traversent rarement la ligne dorsale.

• Beaucoup de blanc sur la tête (parfois belle face) et fréquence d'au moins un œil bleu. La lèvre supérieure est, paradoxalement, presque toujours pigmentée.

• Moins de quatre balzanes. Une jambe, au moins, reste colorée.

On a longtemps cru que le gène responsable du patron overo était récessif car on confondait les overos avec les autres patrons de robe pie non tobiano. En fait, le gène Ov est dominant.

DES PIES PLUS RARES

Si le sabino se rencontre, en Europe, chez quelques races, le balzan y est rarissime.

ATTENTION, DANGER !

Le gène du pie overo, Ov, est associé à une tare génétique et, lorsqu'on croise deux overos ensemble, le produit est fréquemment atteint de ce qu'on nomme le « syndrome du poulain blanc létal ». Le poulain né intégralement blanc meurt en quelques jours d'un défaut d'innervation du tube digestif. Il est donc fortement déconseillé d'accoupler deux chevaux de robe overo, comme ce magnifique paint.

Bob Langrish

Le gène pie peut affecter toutes les robes. Ici, dans la famille des bai, un isabelle pie !

SABINO

Le patron sabino (on dit aussi calicot) est fréquent chez les criollos, les clydesdales et les shires. Certains chevaux de cette robe ne présentent que quatre grandes balzanes. Ils transmettent néanmoins le gène sabino à leur descendance.

Le patron de robe sabino présente les caractéristiques suivantes :

• quatre balzanes blanches haut chaussées ;

• du blanc au bas du ventre et de la tête (comme si le cheval avait galopé dans la peinture) ;

• le contour des taches blanches a un aspect dentelé qui confine parfois au rouanné quand l'extension du blanc est très grande.

BALZAN

Le patron balzan (on dit aussi « splashed white ») est rarissime, du moins en Europe. On le rencontre néanmoins chez certains welshs, traits finlandais et paints. Le gène responsable serait dominant.

• Le blanc s'étend sur le ventre, mais n'est pas dentelé comme chez les sabinos : les bordures sont nettes.

• Les quatre membres sont blancs, ainsi que le bas de la tête : comme si on avait trempé le cheval dans une mare de peinture blanche.

Les variations de robe

La robe d'un cheval n'est pas immuable. Elle varie aussi bien au cours des saisons qu'au fil des ans. Le signalement d'un cheval, c'est-à-dire sa description physique, ne revêt donc pas un caractère définitif.

Animals Animals/Sunset

DES ROBES CHANGEANTES

Différents facteurs peuvent contribuer à modifier l'apparence du pelage et sa couleur.

L'ÂGE

La robe des poulains ne donne qu'une vague idée de ce qu'elle deviendra quelques mois plus tard. Les tout jeunes poulains ont fréquemment les yeux cernés de gris et la peau presque rose. Leur pelage est également plus pâle qu'il ne le sera à l'âge adulte. Les alezans de moins d'un mois, notamment, ont la peau et les yeux encore incomplètement pigmentés. Un poulain bai peut parfois être confondu avec un alezan tant le noir de ses extrémités est discret.

Ce n'est qu'après l'âge de deux mois que l'on commence à avoir une idée plus précise de la robe qu'aura un poulain.

Les pommelures apparaissent souvent à l'âge adulte. Les marques en tête et les balzanes ont, elles, une nette tendance à rétrécir.

DES ROBES ÉVOLUTIVES

Certaines robes sont connues pour évoluer avec l'âge. C'est, bien sûr, le cas des gris qui grisonnent jusqu'à devenir parfois totalement blancs. Certains isabelles ou palominos, au contraire, foncent au fil des ans. Les taches des tachetés en général, et des appaloosas en particulier, peuvent changer de taille et, même, disparaître au cours de la vie de l'animal.

Enfin, le vieillissement finit toujours par faire grisonner la tête des chevaux de plus de vingt ans.

LA RACE

Les chevaux à sang froid et les poneys ont, en général, une robe plus pâle que les chevaux près du sang. Leur poil est plus long et plus épais. Les races très près du sang, comme les pur-sang et les arabes, ont souvent un poil plus court, plus brillant et plus coloré. Certaines races, enfin, possèdent un sous-poil plus clair ou plus foncé que l'extrémité du pelage. Cette seconde couche apparaît parfois, par transparence, sous la première.

Dans les régions enneigées, le poil d'hiver a tendance à blanchir. Il s'agit sans doute d'une forme naturelle de camouflage.

L'ALIMENTATION

Un excès de protéines peut provoquer l'apparition de pommelures. La phæomélanine, pigment marron-rouge, est très sensible aux changements nutritionnels. Les graines de lin (toujours cuites) en petite quantité rendent le poil brillant et coloré. La malnutrition sous toutes ses formes a des répercussions sur le pelage, qui devient terne et cassant.

LES CHANGEMENTS SAISONNIERS

Saisons et climat affectent le pelage.

LE CLIMAT

Plus le cheval est soumis à de grands écarts de température entre l'hiver et l'été, plus son pelage change d'apparence au fil des saisons. Même le poil le plus fin pousse et épaissit sous un froid intense. La robe peut alors soit foncer, soit devenir plus claire. Certaines robes, comme celles des rouannés, semblent plus affectées que les autres par les variations saisonnières. Les chevaux porteurs du gène sauvage comme les souris, les isabelles à raie de mulet (les fjords, par exemple) ou encore les alezans subissent eux aussi de plus grandes variations de teinte.

GROS PLAN

La tonte modifie l'apparence des chevaux. Le poil ras laisse percevoir la couleur de la peau sous-jacente. L'effet est très spectaculaire chez les chevaux dont la racine des poils est plus foncée ou plus claire que l'extrémité.

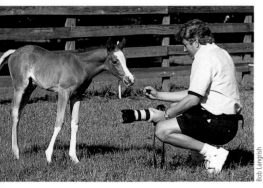

Les marques blanches du poulain semblent rétrécir quand il grandit : en fait, c'est qu'elles ne grandissent pas avec lui.

Bob Langrish

BON A SAVOIR
Les parasites et les maladies

L'aspect du poil et de la peau d'un cheval est un excellent baromètre de son état de santé. Tous les troubles qui affectent l'état général du cheval retentissent sur l'aspect de son pelage. Un cheval en bonne santé n'a pas besoin de soins particuliers pour avoir le poil brillant et bien coloré.

Miriski/Cogis

LE SOLEIL

De même que nos cheveux blondissent au soleil, les crins et les poils des chevaux peuvent se décolorer. Il est ainsi fréquent que, chez des chevaux noirs (comme les merens), la crinière vire au roux en fin d'été, sous l'effet du rayonnement ultraviolet. L'extrémité des poils peut aussi roussir au soleil.

Certains frisons noir corbeau semblent moins affectés que d'autres par cet effet décolorant du soleil. Peut-être n'ont-ils pas tout à fait le même génotype que les autres.

Enfin, les bains d'eau de mer modifient également la robe des chevaux, tandis que l'excès de sueur affadit le brillant de la robe.

Le coin du pro

Le premier signalement d'un cheval se fait en général sous la mère, avant la fin de l'année de naissance du poulain. Cette description initiale doit être confirmée avant la première sortie en compétition, vers l'âge de trois à quatre ans (à 18 mois au plus tôt). C'est à ce stade que la robe du cheval est définitivement reportée dans la base de données du SIRE. L'observation de l'animal à décrire doit se faire dans des conditions d'éclairage optimales. En effet, la qualité et, surtout, la quantité de lumière disponible modifient les couleurs aux yeux de celui qui effectue l'observation. Compte tenu des variations temporelles des robes, il est inutile d'effectuer une description trop précise des nuances. Pour qualifier un alezan ou un bai, par exemple, on se limitera aux adjectifs : « clair », « intermédiaire » et « foncé ».

Conformation et défauts de conformation

La conformation, c'est la façon dont le cheval est bâti.
Selon la discipline, une même conformation peut être considérée comme bonne ou mauvaise.
L'important est de savoir reconnaître les défauts graves.

Bob Langrish

L'IMPORTANCE DE LA CONFORMATION

Peut-on juger des performances du cheval d'après sa conformation ? Oui et non.

LA CONFORMATION NE DIT PAS TOUT

La conformation idéale n'existe sans doute que dans les livres, même si la sélection a permis de produire des animaux de plus en plus conformes – les grands reproducteurs de chevaux de sport sont souvent de vraies gravures!

Toutefois, la conformation ne dit pas tout et ne présage pas forcément des performances : il arrive souvent que des chevaux au modèle très imparfait réussissent au plus haut niveau.

COMMENT JUGER LA CONFORMATION ?

Il faut connaître la bonne conformation pour l'emploi auquel on destine le cheval : c'est une référence à garder à l'esprit lorsque l'on doit jauger un cheval. Cela permet de déceler rapidement en quoi le modèle du cheval s'en éloigne et dans quelle mesure.

Il est également nécessaire de connaître les points forts indispensables à telle ou telle discipline et ceux dont l'absence risque de constituer un véritable handicap.

Il faut ensuite, bien sûr, savoir ajuster ses exigences à ses ambi-

Bob Langrish

Autre défaut rédhibitoire : une encolure très courte et massive, défaut qui s'accompagne ici d'une masse trop importante par rapport à la légèreté des membres.

tions : selon que l'on souhaite pratiquer la discipline en amateur débutant, pour le plaisir ou pour la compétition.

UN MODÈLE COMMUN

Chez tous les chevaux de sport, on recherche une silhouette déliée et harmonieuse, avec des membres suffisamment longs et fins aux articulations solides et plates. Des aplombs corrects sont indispensables à la qualité des déplacements.

• La tête doit être élégante, bien proportionnée, expressive.

• Une encolure est belle quand elle est bien orientée – c'est-à-dire quand elle est large à sa base, et qu'elle s'arrondit vers le haut et vers l'avant, quand elle s'affine en allant vers la tête. Il n'est pas toujours facile de

juger une encolure car la musculature du cheval en modifie la forme et l'orientation.

• L'épaule, c'est bien connu de tous ceux qui s'intéressent aux races de sport, doit être longue et inclinée ; on la mesure du sommet du garrot à la pointe de l'épaule: une bonne épaule va donc de pair avec un garrot bien sorti.

• Un poitrail plutôt large, éclaté, est préférable, mais une relative étroitesse n'est pas rédhibitoire. Un passage de sangle profond indique en principe de bonnes capacités respiratoires.

• Le dos ne doit être ni trop court ni trop long ; le rein doit être large et solide, la croupe plutôt arrondie, puissante, avec une cuisse longue et musclée.

LE SAVIEZ-VOUS ?
Le cas des lourds

On attend des chevaux lourds une conformation assez différente de celle des chevaux de sport : puissance de traction et stabilité nécessitent une masse importante sur des membres solides et plutôt courts. Chez eux, l'épaule est plus droite, l'encolure massive, la poitrine plus cylindrique qu'ovale.

Bob Langrish

À CHACUN SES PRÉFÉRENCES

Chaque discipline a ses préférences en matière de conformation – mais les plus beaux modèles peuvent souvent convenir à deux ou trois d'entre elles.

LES DISCIPLINES CLASSIQUES

En dressage, on accorde une importance particulière aux aplombs et à l'équilibre général, garants d'allures régulières. On évite les ganaches importantes, qui contrarient le ramener. On cherche des chevaux plutôt grands et possédant une belle prestance, beaucoup de présence.

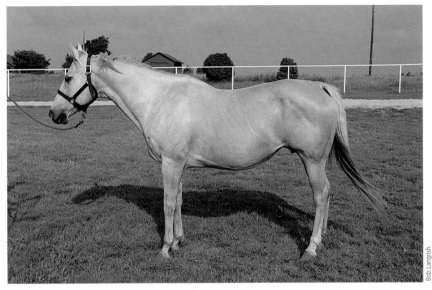

... un dos trop long, surtout s'il s'accompagne d'une arrière-main faible ;

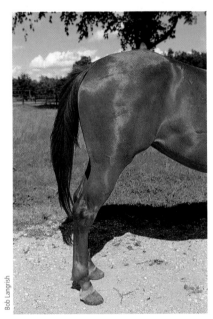

... des aplombs franchement défectueux;

... une encolure grêle, mal orientée.

En CSO, une belle épaule et une croupe puissante, avec une cuisse longue, sont indispensables. Les grands chevaux sont avantagés mais les petits sont parfois remarquables (Jappeloup, pour ne citer que lui, n'était pas grand).

Les chevaux long-jointés souffrent rapidement, ainsi que les modèles trop massifs. Mais le coup de saut se juge surtout... sur le terrain.

En complet, les chevaux ont un modèle un peu plus léger, type pur-sang, long en jambes, avec une poitrine profonde et de grands « rayons » – les sujets massifs ne sont pas avantagés quand il faut aller vite!

LE CHEVAL D'EXTÉRIEUR

Dans les trois disciplines classiques, une grande taille est considérée comme un avantage... ce n'en est pas un pour les disciplines d'extérieur – randonnée, TREC, endurance – où il faut pouvoir monter et descendre souvent et aisément. De bons aplombs sont importants pour l'équilibre et la sûreté de pied. En général, on s'attarde moins sur l'élégance que sur la solidité. Il faut éviter les chevaux long-jointés et ceux qui possèdent un dos étroit ou long, peu porteur, ainsi que ceux dont les allures élastiques sont fatigantes pour la monture comme pour le cavalier.

En endurance, on privilégie les modèles légers, possédant des allures plutôt rasantes, « économiques » : pur-sang arabe ou anglo-arabe y sont très employés.

... un rein étroit, long, mal attaché ;

BON A SAVOIR
Les défauts rédhibitoires

La plupart des défauts de conformation sont tolérables, et pas forcément très gênants, quand ils sont légers. Mais dès qu'ils sont prononcés, ils deviennent handicapants. C'est le cas pour...

Bob Langrish

PHYSIOLOGIE

La pigmentation

Les pigments mélaniques sont des molécules que l'on trouve dans les poils, dans les crins et dans la peau des chevaux. Ils ont la propriété d'absorber la lumière et de servir d'écran solaire naturel.

Lacz/Sunset

DEUX MÉLANINES POUR UNE INFINITÉ DE ROBES

Les pigments mélaniques sont produits par certaines cellules de la peau et expédiés ensuite dans les poils. La concentration et la disposition de ces petites taches de couleur sont responsables de la multiplicité des robes que l'on connaît chez le cheval.

DEUX COULEURS SEULEMENT

Étonnamment, il n'existe dans les poils des chevaux que deux pigments. Ils permettent pourtant de produire l'infinité des teintes qui caractérisent leurs robes. Ces pigments se nomment l'eumélanine et la phaéomélanine. Le premier est noir et le second marron-rouge.

Comment ces deux molécules aboutissent-elles à autant de couleurs différentes ? Elles peuvent tout d'abord se mélanger dans diverses proportions. Elles peuvent ensuite se répartir de manière très différentes au sein du poil, par exemple juste à son extrémité, sur un axe central ou encore en bandes ou en grappes.

UN OU DEUX PIGMENTS

Le pigment marron-rouge est, par exemple, le seul responsable de toutes les nuances de la robe alezane, mais aussi du palomino, du café au lait ou du crème. Le pigment noir peut devenir gris chez les chevaux souris. La combinaison des deux pigments, comme chez les bai, les isabelle, les alezan brûlés, etc., augmente considérablement le nombre des possibilités.

BLANC EN L'ABSENCE DE PIGMENT

Un poil blanc est un poil dépourvu de pigments. Ceux-ci peuvent être restés dans la peau (alors noire) ou au contraire ne jamais avoir été fabriqués (la peau est alors rose). Dans le premier cas, on parlera d'un cheval gris, tandis que dans le second, on l'appellera blanc véritable ou crème, si quelques rares pigments persistent à donner au poil une couleur blanc cassé.

On voit nettement chez ce cheval miniature noir pie la démarcation entre la zone pigmentée, où la peau est sombre, et la zone dépourvue de pigments, où la peau est rose et le poil blanc– gare aux coups de soleil !

Kit Houghton

Le saviez-vous ?

Des sabots blonds ou bruns

La corne, comme le poil, peut être plus ou moins colorée. Sous une balzane, le sabot est plus volontiers clair. Bien que cela n'ait jamais été démontré, la corne blonde semble plus tendre et plus fragile que la corne brune. En l'absence de toute pathologie, les pieds clairs sont d'ailleurs légèrement plus évasés que les pieds foncés.

Le palomino est déterminé par le même pigment marron-rouge que l'alezan.

Bob Langrish

55

SOUS LES POILS : LA PEAU

Lorsque l'on analyse la robe des chevaux, on pense rarement à inspecter la couleur de leur peau. En soulevant les poils, on découvre pourtant des teintes de peau fort différentes qui donnent des indications sur l'origine génétique des robes.

UNE PEAU SOMBRE

Le plus souvent, le cheval est noir sous ses poils noirs ou fauves. Essayez de soulever une petite touffe de son pelage, vous verrez que sa peau est d'un gris plus ou moins foncé. Il n'y a que sous les zones de poils blancs que la peau est aussi rose que la

Le ladre est une zone de peau rose, généralement sans poil. Elle est caractérisée par l'absence de pigments.

nôtre. C'est d'ailleurs là que les équidés attrapent facilement des coups de soleil. Vérifiez-le sous les balzanes ou sous les marques en tête. La peau est également rose sous les plages blanches des pie ou sous celles des appaloosa capés (ex blanket).

LES GRIS ONT LA PEAU NOIRE

Mais attention, les chevaux gris devenus blancs n'ont pas ce teint couleur chair. Leur peau est au contraire plus noire que celle des autres. On le comprend lorsque l'on sait que si ces chevaux grisonnent, c'est parce que les pigments s'accumulent dans la peau, au lieu de migrer dans les poils. C'est d'ailleurs à cause de cette surcharge en pigments que les chevaux gris développent souvent des tumeurs (appelées mélanomes) au niveau de la gorge ou sous la queue.

Attention, danger !

Les coups de soleil

Protégés par leurs poils et leur peau sombre, les chevaux attrapent rarement un coup de soleil. Cela arrive tout de même parfois, là où la peau est rose : sous les marques en tête ou les balzanes. Les chevaux de couleur, comme les pie ou les appaloosas, y sont également sujets dans les zones où leur poil est blanc. La prévention passe, comme chez l'homme, par l'usage de crèmes solaires et par la possibilité de se mettre à l'ombre.

On voit bien, chez cet anglo-arabe, les taches de pigmentation qui marquent la sclérotique de l'œil.

RETROUVER LES BALZANES

Toutefois, même les gris devenus complètement blancs conservent des zones de peau rose, là où siégeaient leurs balzanes ou leurs marques en tête. En mouillant les jambes d'un gris, on peut donc retrouver la zone de dépigmentation qui rappelle la présence d'une ancienne balzane.

GROS PLAN
Les pigments de la vie

Ce sont peut-être les pigments qui ont permis l'émergence de la vie. Le premier de tous est la chlorophylle, qui donne sa couleur verte aux plantes et leur permet de se nourrir à partir du soleil, du gaz carbonique et des minéraux du sol. Via les plantes, elle nourrit aussi les animaux... Le second pigment est l'hémoglobine. Elle confère sa couleur rouge au sang et permet le transport de l'oxygène. C'est un autre pigment rouge qui permet la vision, il se nomme la rhodopsine. Enfin, la famille des mélanines protège la peau du soleil.

Comme le montre son cap de maure, ce dulmen possède une peau très sombre sous sa robe claire. Les pigments se sont répartis de façon inégale tout au long du poil. L'extrémité du poil est très pâle alors que la racine est presque noire.

L'allaitement

*Dans la nature, la jument passe sa vie en gestation avec déjà un petit accroché à ses basques,
qui la tète sans arrêt. Heureusement, elle ne semble pas trop souffrir de devoir
ainsi en permanence nourrir deux petits : celui qu'elle porte et celui qu'elle allaite.*

Le poulain commence très tôt à brouter en imitant sa mère.

Sorrel

JUSQU'À SOIXANTE-DIX TÉTÉES PAR JOUR

Les poulains sont de petits voraces qui tètent sans arrêt, jour et nuit. Ils se nourrissent peu à la fois, mais très souvent. Le lait riche de leur mère leur permet une croissance ultrarapide.

GROS PLAN

Les pur-sang sont sevrés à 5 mois, les selle français vers 5 ou 6 mois et les chevaux de trait vers 6 à 7 mois. Sevrer le poulain est une tradition dans les élevages, où l'on cherche à préserver la jument qui porte chaque année un poulain. Mais rien ne vous oblige à faire de même: la lactation cessera d'elle-même lorsque le poulain aura entre 9 et 12 mois.

QUINZE LITRES DE LAIT PAR JOUR

Les mamelles de la jument sont au nombre de deux et se cachent entre ses cuisses. Elles commencent à se développer durant le dernier mois de la gestation. C'est lorsque le poulain a trois mois que sa mère produit le plus de lait. On estime alors qu'une bonne poulinière produit de 2 à 3,5 l de lait par jour, et ceci par centaine de kilos de poids corporel. En clair, une jument de 500 kg sécrète alors environ 15 litres de lait par jour. Ceci explique qu'une jument de trait produise environ 20 % de plus qu'une autre de selle. Toutefois, par rapport à leur poids plume, les ponettes, type shetland, ont un meilleur rendement. Il est à noter aussi que les juments qui mettent bas pour la première fois (les primipares) ont moins de lait que les matrones expérimentées (les multipares). Environ deux mois après la naissance du poulain, la quantité de lait que produit la poulinière décroît régulièrement. Heureusement, le foal (nom donné aux poulains de l'année) commence alors à s'alimenter par lui-même.

UNE CROISSANCE ACCÉLÉRÉE

Pour le poulain, c'est surtout pendant les deux ou trois premiers mois de vie que le lait se révèle primordial. Durant cette période, il n'a pas encore commencé à brouter, tandis que sa croissance est maximale (il prend 3 kg par jour au début de sa vie). Les ingénieurs agronomes estiment qu'il faut à peu près 6 l de lait pour que le foal prenne un kilo supplémentaire.

Bob Langrish

58

FAST-FOOD

Par rapport à la vache, la jument a de tout petits pis. Ses mamelles ne contiennent guère que deux litres de lait, c'est pourquoi le poulain doit téter plus souvent que les veaux. En début de croissance, on le voit se pendre à la mamelle maternelle de quarante à soixante-dix fois par jour! Plus tard, vers six mois, il tète plus que vingt fois par jour.

LE SEVRAGE FORCÉ : UN STRESS

Alors que, dans la nature, les juments sèvrent pas leur poulain avant un an, les éleveurs les séparent de leur mère vers six mois. Cet épisode est vécu comme un stress important par le foal.

« UN CLOU CHASSE L'AUTRE »

Dans la nature, lorsque l'homme ne s'occupe pas des chevaux, les juments ne sèvrent leur poulain qu'après avoir accouché du suivant. En d'autres termes, c'est le nouveau-né qui chasse son grand frère des mamelles de sa mère. La transition se fait en douceur, puisque le yearling (nom donné aux poulains de un an) reste à proximité de sa mère et de son petit frère. Il arrive même de temps à autre que sa maman l'autorise à téter un peu.

LES POULAINS SONT SEVRÉS À SIX MOIS

Lorsque l'homme s'en mêle, les choses ne se passent pas aussi bien. Les éleveurs sèvrent au plus tard leurs produits à

Le lait se renouvelle sans cesse et le poulain tète très souvent: jusqu'à 70 fois par jour.

l'âge de sept mois, soit cinq mois plus tôt que dans la nature. Le sevrage est en outre brutal. Le poulain est retiré à sa mère et souvent isolé des autres chevaux. Au stress de la séparation d'avec sa maman s'ajoute donc l'angoisse de la solitude. Ce n'est qu'après qu'il rejoindra un groupe de poulains de son âge. Il n'aura alors plus aucun contact avec les chevaux adultes qui auraient pu faire son éducation et lui enseigner les bonnes manières équines. Voilà pourquoi certains jeunes chevaux sont mal élevés et ne respectent rien. Ils ont manqué de remises en place de la part de chevaux adultes dominants !

BON A SAVOIR

En Mongolie, mais aussi en France, on trait parfois les juments pour récolter leur lait. Celui-ci est plus proche du lait de femme que le lait de vache. Il possède également des qualités appréciées en cosmétologie. Enfin, le lait de jument sert à produire diverses boissons: le koumis, obtenu par simple fermentation, et l'arak, un alcool.

Le coin du pro

Le colostrum

Ce nom barbare désigne le premier lait de la jument. Il s'agit d'un lait différent de celui qui servira à nourrir le petit pendant ses six à douze premiers mois. Il est plus épais et plus coloré, mais surtout, il contient les précieux anticorps que la mère lègue à son rejeton.

Dans l'utérus de la poulinière, le poulain ne peut pas recevoir les anticorps de sa génitrice, car le placenta ne les laisse pas passer. À la naissance, le poulain n'a pas encore développé ses propres défenses immunitaires et ne bénéficie pas encore de celles de sa mère. Voilà pourquoi il est essentiel qu'il soit nourri avec le premier lait, celui qui contient les molécules qui le protégeront de l'infection jusqu'à ce qu'il ait environ deux mois.

Le colostrum est produit par la poulinière au cours des deux à quatre dernières semaines de gestation. Le poulain doit boire cette potion magique dans les trois premières heures de sa vie. Ceux qui sont incapables de se lever ou qui naissent prématurés ne peuvent profiter de ce transfert d'immunité qui passe par le colostrum : ils risquent fort de mourir d'infection. On peut heureusement recueillir le colostrum de la jument et le donner au biberon. On peut aussi utiliser le plasma de la poulinière ou du colostrum de vache.

La jument a de tout petits pis: pas plus de 2 l de contenance!

Le système lymphatique

Le système lymphatique est souvent mal connu. Il sert à ramener vers le cœur les liquides qui baignent les cellules et à protéger l'organisme du cheval des infections et des cancers.

Sorrel

L'immobilité favorise l'engorgement du système lymphatique.

Lacz/Sunset

LA LYMPHE ET LES GANGLIONS

Les vaisseaux lymphatiques courent parallèlement aux artères et aux veines. Ils ramènent la lymphe au cœur. Ils sont parsemés de ganglions, véritables usines de détoxication et de lutte contre l'infection.

UNE «SOUPE» NUTRITIVE

Tout le corps du cheval baigne dans un liquide que l'on compare souvent à une soupe nutritive. Ce liquide interstitiel coule entre les cellules, auxquelles il apporte de l'oxygène, de la nourriture et dont il emporte les déchets. Cette espèce de mer intérieure communique en permanence avec le sang au niveau des capillaires. Les globules blancs et la plupart des petites molécules transitent librement entre les capillaires sanguins et le liquide interstitiel. Seuls les globules rouges restent dans le « compartiment » sanguin.

A faire

Les chevaux libres déambulent presque en permanence. Pour modéré qu'il soit, cet exercice suffit à limiter les risques d'engorgement des membres. On a tout avantage à accorder chaque jour au cheval qui vit en box quelques heures de liberté au paddock ou au pré.

UN SYSTÈME DE VIDANGE TISSULAIRE

Le rôle du système lymphatique consiste à drainer le liquide interstitiel en surplus et à éviter qu'il ne s'accumule dans les tissus. Il s'agit donc d'un système de tuyauterie qui ramène l'excédent de liquide interstitiel dans la circulation sanguine. On appelle lymphe ce liquide qui remonte de la mer intérieure vers le cœur. Les vaisseaux lymphatiques constituent un réseau qui suit celui des veines. Les gros troncs terminaux se jettent finalement dans les grosses veines, juste en amont du cœur, que l'on nomme veine cave antérieure et veine sous-clavière.

Mais, à la différence des veines, les vaisseaux lymphatiques ne contiennent pas de muscles qui favorisent la remontée du liquide vers le cœur. Il suffit donc parfois de peu de chose pour que le système s'engorge.

Kit Houghton

LES GANGLIONS FILTRENT LA LYMPHE

Tout le long des vaisseaux lymphatiques, la lymphe est filtrée par des ganglions. Ces petites usines de désinfection contiennent des macrophages : des globules blancs mangeurs de bactéries. En cas d'infection, ces ganglions se mettent à gonfler. Cela signifie qu'ils font une guerre sans merci aux microbes qui ont envahi la région.

L'IMMOBILITÉ FAVORISE L'ENGORGEMENT DES MEMBRES

Lorsque les chevaux sont enfermés à l'écurie et ne sortent pas suffisamment, il arrive que leurs jambes se mettent à gonfler. Il faut en premier lieu leur offrir davantage d'exercice.

Le saviez-vous ?

• *La lymphe représente environ 2 à 3 % des fluides qui constituent le corps du cheval.*
• *C'est la lymphe qui permet aux graisses de passer du tube digestif dans le sang.*
• *Les chevaux ont des ganglions volumineux là où d'autres animaux n'en possèdent qu'un ou deux petits.*

TROP-PLEIN

C'est au niveau des jambes que la pression sanguine est plus élevée. Tout le sang tombe, en effet, de toute la hauteur du cheval dans ses sabots. Il arrive donc que les veines et les vaisseaux lymphatiques aient un peu de mal à faire remonter tout ce liquide vers le cœur. Lorsque le système se dérègle, les interstices entre les cellules se remplissent d'eau. Les tissus de la jambe se gonflent d'un trop-plein de liquide. Ils s'engorgent. C'est ce qu'on appelle un œdème.

IMMOBILE, IL GONFLE

Cela se produit lorsque les chevaux ne font pas assez d'exercice. La contraction musculaire favorise, en effet, la remontée des liquides vers le haut de la jambe. L'écrasement des fourchettes, à chaque foulée, propulse également le sang et la lymphe vers le haut. C'est donc plutôt lorsque les chevaux sont immobilisés au box que leurs jambes gonflent.

C'est la raison pour laquelle on leur enserre souvent les jambes dans des bandes de repos. La pression du bandage empêche le liquide de s'accumuler dans les tissus.

LE BON GESTE

Marcher dans l'eau (et particulièrement en bord de mer) stimule la circulation sanguine et resserre les tissus. C'est un exercice recommandé pour prévenir ou pour réduire les engorgements.

Sorrel

GROS PLAN
Les organes lymphatiques

Certains organes peuvent être assimilés au système lymphatique en ce sens qu'ils sont spécialisés dans l'épuration du sang et la lutte contre l'infection.
• **La rate** : c'est une des usines de purification du sang. C'est à son niveau que sont détruits les globules morts ou les débris divers qui flottent dans le sang. La rate produit aussi certains des éléments du sang comme les plaquettes (qui servent à la coagulation).
• **Les amygdales** : ce sont les remparts de l'organisme au niveau de la gorge ; leur rôle est de lutter contre les microbes qui arrivent avec la nourriture et l'air inspiré.
• **Le thymus** : il est surtout utile au poulain, lorsque celui-ci construit ses défenses immunitaires.

Appareil lymphatique du cheval

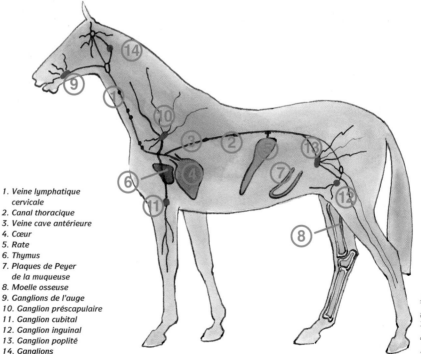

1. Veine lymphatique cervicale
2. Canal thoracique
3. Veine cave antérieure
4. Cœur
5. Rate
6. Thymus
7. Plaques de Peyer de la muqueuse
8. Moelle osseuse
9. Ganglions de l'auge
10. Ganglion préscapulaire
11. Ganglion cubital
12. Ganglion inguinal
13. Ganglion poplité
14. Ganglions rétropharyngiens

Yvan Benoist-Gironière

Le toucher

Parler de l'ouïe, de la vue ou encore de l'odorat du cheval semble naturel. Mais on songe rarement à évoquer son toucher, un sens pourtant très important chez ce grand quadrupède.

UNE SENSIBILITÉ À FLEUR DE PEAU

Dès qu'on évoque le toucher, on pense aux doigts et à la main. Mais c'est oublier que ce sens n'est pas propre à l'homme : il concerne en effet toute la surface du corps des animaux.

Une séance de « gratouille » réciproque, quel plaisir !

HYPERSENSIBILITÉ

Si l'on touche une chenille avec une brindille, on la voit immédiatement se contracter, réagir, se déplacer pour éviter ce contact. Si l'on est soi-même heurté si peu que ce soit, à un bras, au dos ou ailleurs, on sent cet attouchement et on cherche instantanément à savoir ce qui l'a provoqué. Le cheval est lui aussi sensible sur tout son corps. Il est même très sensible, son sens du toucher étant extrêmement développé. Ainsi, le simple contact d'une mouche, sur presque toutes les parties de son corps, fait immédiatement frémir sa peau.

ATTENTION, DANGER !

Pour faire disparaître certaines boiteries, on procède parfois à une opération: la névrotomie. Mais il s'agit d'une véritable modification du pied du cheval, qui présente de sérieux inconvénients : ce pied perd toute sensibilité tactile. En conséquence, le cheval n'est plus très sûr lorsque le terrain est varié, comme à travers landes et forêts.

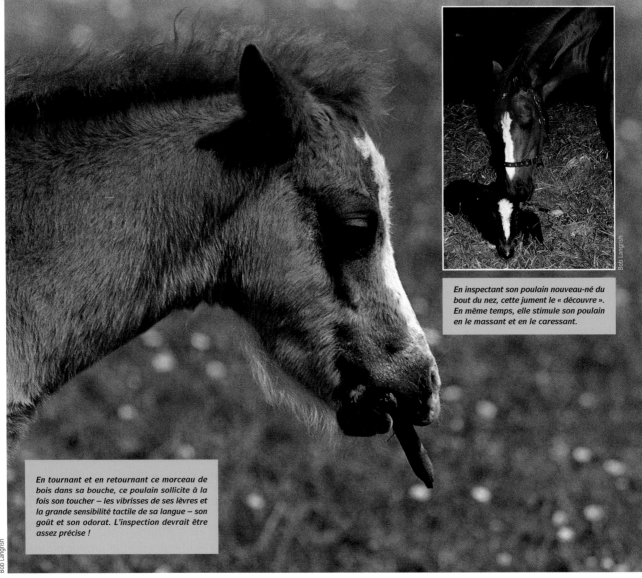

En inspectant son poulain nouveau-né du bout du nez, cette jument le « découvre ». En même temps, elle stimule son poulain en le massant et en le caressant.

En tournant et en retournant ce morceau de bois dans sa bouche, ce poulain sollicite à la fois son toucher – les vibrisses de ses lèvres et la grande sensibilité tactile de sa langue – son goût et son odorat. L'inspection devrait être assez précise !

Bob Langrish

LE TOUCHER : UNE SOURCE DE PLAISIR

Qui dit sensibilité de la peau dit aussi conscience des caresses. Et les chevaux aiment les caresses! Celles de leurs congénères, bien sûr, avec lequels ils peuvent, tête-bêche, se gratter, se mordiller mutuellement la base de l'encolure. Mais ils aiment aussi les caresses de l'homme. Et pas seulement les tapotement amicaux sur l'encolure, destinés à les récompenser d'un effort au cours d'une balade ou après un parcours sans faute. A ces flatteries, ils préfèrent une longue séance de pansage, pour autant qu'elle soit correctement effectuée (sans passer l'étrille sur les os, par exemple). Ainsi, lorsque le pansage lui est agréable, il n'est pas rare que le cheval se mette à mordiller délicatement celle ou celui qui le panse. Exactement comme il ferait avec un congénère en train de lui gratter le cuir du garrot.

UN SENS INÉGALEMENT RÉPARTI

La peau, parcourue de nerfs sous-jacents, est donc le siège du sens du toucher. Ces nerfs sont plus ou moins nombreux et développés selon les zones du corps. Ainsi, le bas des jambes est relativement peu sensible aux mouches, alors que l'animal supporte difficilement la présence de ces insectes sur le pourtour des yeux et de la bouche.

LA SENSIBILITÉ DES PIEDS : UNE SOURCE D'INFORMATIONS

Les chevaux libres ont un pied très sûr. Une grande sensibilité leur permet de jauger sans erreur le sol sur lequel ils marchent et de poser les pieds avec une grande précision.

UNE MARCHE ADAPTÉE AU TERRAIN

Chez le cheval, le pied est l'un des sièges privilégiés de la sensibilité tactile. La chair située sous la sole et la fourchette, très riche en vaisseaux sanguins et en terminaisons nerveuses, perçoit la moindre aspérité du terrain – solide, marécageux, caillouteux, sablonneux, etc. – et permet au cheval d'adapter son équilibre, le déplacement de ses membres et son allure en fonction des informations reçues. Et quatre pieds, ça donne beaucoup d'informations!

PLUS DOUCEMENT OU PLUS VITE ?

Une nuit, en Inde, un cavalier français suivait un guide sur un mauvais sentier, pour retourner en ville. Trouvant l'allure du cavalier du pays un peu rapide dans l'obscurité, il lui demanda de ralentir. Mais sa mauvaise connaissance de la langue, lui fit dire « Plus vite ! » au lieu de « Plus doucement ! ». Le

Bob Langrish

guide fut étonné, mais il accéléra. La galopade à travers la nuit noire devenant très risquée, le Français redemanda de ralentir. En se trompant encore de mots ! Et l'allure s'accéléra encore... Cette folle chevauchée se termina sans que les chevaux aient buté ou fait un seul faux pas. Mais il faut préciser que les deux cavaliers avaient complètement rendu la main à leur monture : un cheval libre « voit » avec ses pieds !

Bon à savoir

Des « poils-mains »

Les vibrisses, ces longs poils tactiles qui ornent le bout du nez du cheval, sont pour lui l'égal d'une véritable main. C'est grâce à elles qu'il découvre, qu'il « ausculte » les objets excitant sa curiosité. Toucher quelque chose du bout du nez est plus important pour lui que de le voir. Et si on coupe ses vibrisses, sous prétexte de toilette, on le voit alors se heurter brutalement les lèvres au bord de sa mangeoire. Pourquoi ? Parce qu'il ne peut plus tâtonner pour la trouver.

Bob Langrish

Bob Langrish

L'odorat et le goût

Nez levé, naseaux ouverts, le cheval hume les odeurs apportées par le vent.
Sans être aussi développé que celui du chien, son odorat est cependant bien plus fin que le nôtre.
Et, grâce à lui, il distingue aussi une multitude de goûts et apprécie la moindre nuance des saveurs.

G. Laz/Sunset

L'ODORAT ET LE GOÛT : UNE PLACE IMPORTANTE DANS LA VIE DES CHEVAUX

L'odorat et le goût font office de système d'identification. L'odorat permet au cheval de faire le tri entre le familier et l'inconnu. Goût et odorat l'aident à distinguer ce qui est comestible de ce qui ne l'est pas et à apprécier la qualité de l'eau.

L'ODORAT

En terrain inconnu un cheval se sert de son odorat très développé pour examiner les objets qui lui sont inconnus. Quand il entre dans une écurie ou un paddock nouveaux, il commence par en flairer tous les recoins et par s'ébrouer pour analyser ce nouvel environnement.

POUR RECONNAÎTRE LES AMIS ET LES ENNEMIS

Chaque individu, animal ou humain, dégage une odeur corporelle particulière. Les chevaux distinguent chaque odeur et reconnaissent de loin amis et ennemis. Pour se saluer, ils se flairent le nez. C'est, en quelque sorte, l'équivalent équin de notre poignée de main. L'odeur joue un rôle important dans l'établissement des liens entre la jument et son poulain. La jument identifie l'odeur de son poulain au premier contact et distingue ensuite sans peine celui-ci des autres poulains du troupeau.

G. Lacz/Sunset

Bon à savoir

Contrairement au chien, au chat et à bien d'autres animaux, le cheval n'a pas de babines mais des lèvres capables d'attraper très habilement tel brin d'herbe et non tel autre. C'est pourquoi on parle de nez, ou de bout du nez, et non de museau.

Tout comme nous, le cheval apprécie la diversité des saveurs. Dans la nature, il broute toutes sortes de végétaux, parfois avec gourmandise. Il est donc important de varier l'alimentation du cheval au box. Une trop grande monotonie finirait par le démoraliser et lui faire perdre l'appétit.

G. Lacz/Sunset

Les chevaux évitent de manger les boutons d'or (renoncules), mais ils en mâchent parfois avec une bouchée d'herbe, car ces fleurs n'ont pas le goût amer des autres plantes toxiques. Par chance, elles ne sont dangereuses qu'en grande quantité.

L'ODEUR DU CAVALIER : DÉCISIVE

Bien sûr, les chevaux connaissent notre odeur. Elle leur est agréable ou désagréable. Le couple cheval-cavalier ne peut fonctionner si le cheval est dérangé par l'odeur de son cavalier. Mieux vaut éviter, quand on vient monter ou soigner un cheval, de se parfumer. Les molécules synthétiques des parfums sont très fortement perçues par les animaux qui, en général, ne les apprécient guère.

L'avoine, très énergétique, a été pendant des siècles l'aliment du cheval, avec l'orge et le fourrage. On la remplace souvent aujourd'hui par des granulés d'aliments complets équilibrés, mais il est bien de donner un peu de céréales de bonne qualité au moins de temps en temps.

A L'ÉTAT SAUVAGE : HYGIÈNE ET TERRITOIRE

Les chevaux perçoivent les odeurs de très loin. Un étalon flaire une jument en chaleur à une distance de 600 à 800 mètres. Ils détectent aussi les points d'eau, même très éloignés.

Un cheval ne broute pas à proximité de crottins dont son odorat lui signale la présence. C'est important, car il évite ainsi d'attraper des parasites intestinaux.

D'une certaine façon, les odeurs participent également à la délimitation du territoire. Les chevaux déposent des crottins et de l'urine autour de leur territoire afin d'en marquer les limites pour les autres chevaux. Ces limites olfactives leur sont aussi présentes qu'une barrière peut l'être pour nous.

LE GOÛT

Les chevaux choisissent leur nourriture d'abord par l'odorat, puis par le goût. Le bout du nez et les lèvres, couverts de moustaches ultrasensibles, agissent comme des doigts et lui permettent de faire le tri entre ce qu'il veut manger et ce qu'il veut laisser de côté.

GOURMAND

Une fois flairés et analysés, les aliments sont différenciés par le goût : sucré, amer, aigre ou salé. Les chevaux acceptent le goût amer mais l'apprécient peu. Ils ont un net penchant pour les sucreries.

Il est préférable de ne pas leur donner de sucre en morceaux – qui provoque comme chez nous des caries. En revanche, les carottes et les pommes sont les bienvenues. Certains chevaux apprécient également les goûts inhabituels et épicés tels que la menthe et le gingembre.

PLANTES VÉNÉNEUSES

Le goût est un mécanisme de sécurité vital pour le cheval : il apprend de bonne heure à reconnaître les plantes toxiques. Toutefois, il faut rester vigilant, car les chevaux n'étant plus élevés dans la nature, ils ne développent pas toujours cet instinct. Ne laissez pas votre cheval brouter n'importe quelle plante – attention en particulier aux conifères. Certains contiennent des poisons mortels.

Quand un cheval détecte une odeur nouvelle, ou excitante, il prend une profonde inspiration, étend l'encolure, puis retrousse la lèvre supérieure. Ainsi, il capte l'odeur dans ses naseaux et en imprègne les muqueuses de ses lèvres et de sa bouche. Cela lui permet de l'analyser avec précision – ou d'en profiter pleinement. Ce comportement est appelé « la réponse de Flehmen ». Il est caractéristique de l'étalon qui a flairé une jument en chaleur.

ATTENTION, DANGER !

100 g d'if suffisent pour tuer un cheval. Ce conifère se reconnaît aisément à ses baies rouge vif. Il est très commun car on l'utilise pour constituer les haies. Prenez soin de ne jamais attacher votre cheval à proximité d'un de ces arbres. D'une manière générale, méfiez-vous des conifères et des buissons à feuilles charnues et brillantes ou bicolores (vert et jaune).

La vue

*Oreilles dressées, œil vif, le cheval a vraiment l'air de prendre des nouvelles de ce qui l'entoure.
Rien n'échappe à ses sens toujours aux aguets,
car la domestication a atténué ses réactions, mais pas sa perception !*

G. Lacz/Sunset

DANS LA NATURE, UN CHEVAL EST TOUJOURS SUR LE QUI-VIVE

Quand il se sent menacé, son instinct le pousse à la fuite. Pour pouvoir réagir à temps et éviter le danger, il doit capter les signes les plus infimes – bruits, mouvements. Ses yeux et ses oreilles fonctionnent simultanément pour lui fournir des informations précises sur la source et la nature d'un bruit ou d'un mouvement.

Grâce à la flexibilité de son encolure, le cheval peut étendre son champ de vision et surveiller l'ensemble de ce qui l'entoure.

BON À SAVOIR

En général, on croit que le cheval montre le blanc de l'œil (sclérotique) quand il est inquiet. Cependant, il suffit qu'il tourne les yeux pour que la sclérotique apparaisse sans qu'il ressente le moindre sentiment de crainte. Certains chevaux, parmi les pur-sang ou les appaloosas par exemple, ont le blanc de l'œil visible même au repos.

DES CILS ET DES VIBRISSES

Les cils du cheval, serrés et raides, protègent les yeux de la poussière et des lumières violentes. Le cheval possède aussi, autour des yeux, de longs poils plus ou moins raides, qui sont des vibrisses. Ils sont importants, car ils stimulent le réflexe de clignement de l'œil. Ils permettent au cheval de sentir la proximité d'un objet (une branche par exemple) et de l'éviter. Il ne faut jamais couper ces poils, même en vue d'un concours de modèle et allures.

BON PIED, BON ŒIL

L'œil d'un cheval en bonne santé est humide et brillant, bien ouvert et vif. Il ne présente pas d'écoulement. La muqueuse autour de l'œil et à l'intérieur de la paupière doit être rose. Un cheval dont l'œil est éteint, larmoyant ou rouge est un cheval qui souffre physiquement ou moralement.

En général, l'iris du cheval est d'une couleur noisette assez claire et transparente. Elle permet de distinguer autour de la pupille de curieuses excroissances noires en forme de chou-fleur – qui sont tout à fait normales. Certains chevaux ont un seul œil bleu – on dit qu'ils sont vairons. Les deux yeux bleus se voient surtout chez les chevaux albinos.

Les œillères servent à réduire la vision latérale du cheval. Elles l'empêchent d'être distrait lorsqu'il travaille en main ou attelé. A l'attelage, elles évitent que le cheval soit effrayé à tout instant par les véhicules qui le doublent ou le croisent et l'obligent à marcher droit vers le champ de vision étroit qui s'étend loin devant lui.

Sorrel

UNE VISION LATÉRALE

Les yeux du cheval sont placés latéralement, de chaque côté de la tête. Ils sont saillants et leur mobilité leur permet de balayer un champ de vision latéral de plus de 180°. Cela signifie que le cheval peut voir presque tout ce qui se trouve autour de lui avec l'un ou l'autre œil. Il a également une vision binoculaire (des deux yeux en même temps) à 2 m devant lui. Il détecte le moindre mouvement, devant lui, derrière lui ou sur le côté. Si l'objet est hors de son champ visuel, il lui suffit d'une légère flexion de l'encolure pour le voir.

Toutefois, l'implantation des yeux du cheval présente un inconvénient : son champ de vision frontale comporte un important angle mort. Il faut en tenir compte.

L'ŒIL, REFLET DE L'ÂGE

Les yeux du cheval sont très expressifs, en particulier quand on les observe en même temps que les oreilles. On comprend vite leur langage. Ils donnent également des indications précieuses sur l'état physique et mental du cheval et sur sa personnalité.

La vivacité du regard, la rondeur de l'œil et le dessus de l'arcade sourcilière permettent aussi de situer l'âge du cheval : rond, vif et ouvert chez un jeune cheval, l'œil devient plus étroit et le regard plus blasé avec l'âge. L'arcade sourcilière, d'abord pleine et bombée, se creuse en formant des « salières » au fur et à mesure que le cheval vieillit.

Champ de vision du cheval

Vision binoculaire

Vision avec l'œil gauche uniquement

Vision avec l'œil droit uniquement

Zone hors du champ visuel

Zone hors du champ visuel

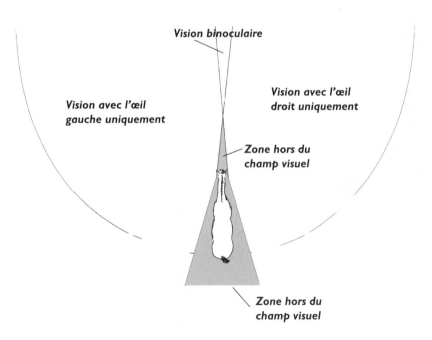

G. Lacz/Sunset

Deux yeux bleus, ou même un seul, voilà une particularité appréciée chez certaines races, par exemple chez le paint.

BON À SAVOIR

L'implantation de l'œil du cheval limite sa vision frontale. Quand un cheval regarde droit devant lui en conservant la tête dans une position normale de repos, ses yeux convergent sur un point se trouvant à environ deux mètres de son chanfrein. Il ne voit donc pas ce qui se trouve juste devant lui. Il faut en tenir compte dans de nombreuses situations, notamment à l'obstacle : le cheval doit pouvoir jauger un obstacle d'une distance suffisante. Lorsqu'il est surpris, quand, par exemple, on aborde un obstacle après une courbe serrée, il risque de refuser de sauter.

L'ouïe

Bien que le cheval soit, tout comme nous, un surdoué de la vision, il dispose aussi d'une oreille très performante. Il semble même que son ouïe soit plus fine que la nôtre.

WeissSunset

L'AUDITION DU CHEVAL

L'audition du cheval semble bien supérieure à la nôtre. Capable d'entendre certains sons inaudibles pour l'homme, il détecterait bien avant nous certains phénomènes sonores.

UNE GRANDE MOBILITÉ

Le cheval possède des pavillons auriculaires très mobiles, aussi peut-il les diriger vers la source d'un son qui a retenu son attention lorsqu'il veut mieux l'entendre et mieux l'analyser. Leur autonomie l'un par rapport à l'autre accroît encore la finesse de son analyse ainsi que la rapidité et la précision avec laquelle il détermine l'origine exacte du son.

Enfin, la longueur et la flexibilité de l'encolure confèrent un grand rayon d'action à son « radar » auriculaire.

VOIR ET ENTENDRE

Il existe une connexion nerveuse entre les muscles des yeux du cheval et ceux de ses oreilles. Cela signifie qu'il oriente en même temps ses deux organes sensoriels vers le lieu d'où provient le signal qui l'alerte, qu'il s'agisse d'un signal sonore ou visuel.

UNE OUÏE TRÈS FINE

Leur statut de proie dans la nature les incitant à rester en permanence sur leurs gardes, les chevaux utilisent bien plus que nous les ressources de leurs sens, dont les capacités se sont développées en conséquence. Leur ouïe, devenue extrêmement fine, leur permet d'entendre des sons qui nous échappent. Elle leur permet aussi de distinguer deux sons dont l'intensité ne varie que d'un décibel.

UN SPECTRE PLUS LARGE

Enfin le spectre de leur audition, un peu plus étendu que le nôtre, leur permet d'entendre dans les aigus et dans les graves des sons qui nous restent inaccessibles: l'oreille humaine ne perçoit que les sons dont la fréquence est comprise entre 16 Hz et 20 000 Hz. Le cheval, lui, détecte les bruits compris entre 6 Hz et 33 500 Hz.

Du côté des aigus, il entend les ultrasons qui nous échappent complètement. Du côté des graves, il capte aussi des sons qui nous sont inconnus. Cette sensibilité explique sans doute en partie pourquoi les chevaux perçoivent les tremblements de terre bien avant que nous ne ressentions leurs vibrations.

A ÉVITER

Le pavillon auriculaire est très ouvert et très grand. Sa forme l'expose à la poussière, aux corps étrangers et aux parasites. C'est pourquoi se dresse, à l'entrée, une forêt de poils qu'il ne faut jamais tondre.

Audition, vue et odorat concourent à l'analyse de tout objet inconnu. Le toucher vient ensuite.

PETIT RAPPEL ANATOMIQUE

L'audition est le fait d'un ensemble d'organes assez complexe.

CAPTER LE SON

C'est le pavillon qui est chargé de recueillir les sons et de les transmettre au tympan. Il a la forme d'une conque allongée et doit sa rigidité à trois cartilages. Les deux pavillons sont indépendants et peuvent tourner sur eux-mêmes d'environ 180 degrés car de très nombreux muscles les mobilisent.

TRANSMETTRE LE SON

De l'autre côté du tympan, c'est-à-dire dans l'oreille moyenne, une chaîne d'osselets (le marteau, l'étrier et l'enclume) transmet le son vers l'oreille interne. De petits muscles fixés sur ces osselets permettent de régler la transmission en fonction de l'intensité du son.

BON A SAVOIR

La finesse de l'ouïe des chevaux explique bien des comportements équins que l'on s'était empressé d'attribuer à l'existence d'un sixième sens.

L'oreille moyenne est une cavité aérienne contenue dans le crâne du cheval. Un long tube, la trompe d'Eustache, la met en communication avec la bouche de l'animal. Cette communication permet de maintenir, au sein de l'oreille moyenne, une pression égale à la pression atmosphérique.

ENTENDRE

Le véritable organe de l'audition, c'est l'oreille interne. Elle comporte la cochlée, ou limaçon, qui renferme les terminaisons du nerf auditif, et le vestibule, organe de l'équilibre.

La cochlée ressemble à une coquille d'escargot où le son entre par la fenêtre ovale. Il mobilise alors un liquide, qui fait à son tour vibrer une membrane et les cellules sensibles qu'elle contient.

Animals Animals/Sunset

Le saviez-vous ?

D'où vient le son

Le cheval perçoit des sons très aigus, les ultra-sons. Or, ce type de son se déplace assez mal dans les os du crâne et parvient donc plus tôt à l'oreille située du même côté que la source sonore. Cette perception décalée du son permet de mieux en localiser la source.

Animals Animals/Sunset

GROS PLAN

Entretenir ses oreilles et en chasser les indésirables n'est pas chose facile! Ce poulain peut encore se gratter l'arrière de l'oreille à l'aide de son pied postérieur – geste qu'il ne pourra plus faire aussi aisément quand il sera devenu adulte. Il en sera alors réduit, comme tous ses congénères, à se frotter les oreilles contre une branche, un piquet de clôture ou tout autre objet.

Le système digestif

Malgré les nombreux schémas que vous avez pu voir, vous avez encore, du système digestif du cheval, une idée peu précise ? Une explication claire de la fonction de chaque organe vous permettra de mieux comprendre comment fonctionne cet étonnant appareil.

Moulu / Sunset

UN PASSAGE ALIMENTAIRE CONTINU

Du système digestif du cheval, on retiendra surtout deux choses: que l'estomac est très petit et que la nourriture y passe rapidement. Que l'intestin, très long, présente deux coudes importants où les embarras ne sont pas rares.

1. La cavité buccale. La digestion commence dans la bouche. Les lèvres attrapent les aliments. Les dents les réduisent en une bouillie qui s'imprègne de la salive fournie par les glandes salivaires. La langue, énorme muscle muni de papilles gustatives, permet de distinguer les saveurs et achemine les aliments vers le pharynx.

2. Le pharynx est un conduit qui mène d'une part au larynx et aux voies respiratoires, d'autre part à l'œsophage.

3. L'œsophage. Ce tube long d'environ 1,20 m commence au pharynx, parcourt toute l'encolure pour aboutir à l'estomac. Au niveau des courbures, à l'entrée de la poitrine et de l'estomac, des obstructions peuvent se produire si les aliments sont trop secs (granulés) ou n'ont pas été suffisamment mastiqués.

4. L'estomac du cheval est très petit par rapport à la taille de l'animal. Il a une capacité de 10 à 15 litres. Sa paroi n'est pratiquement pas extensible et une écharpe musculaire bloque le retour des aliments vers l'œsophage: le cheval est presque incapable de vomir. Si une trop grande quantité d'aliments s'accumule dans l'estomac, celui-ci risque de se déchirer. Le bol alimentaire doit donc traverser rapidement cet organe et passer dans l'intestin.

5. L'intestin grêle. Long de 25 m, il se divise en trois parties:

– le duodénum, long de 1 m, où la nourriture passe relativement rapidement;

– le jéjunum, où le transit est plus lent, ce qui laisse le temps aux sucs digestifs de l'estomac, du foie, du pancréas et de l'intestin d'agir sur les aliments. Les nutriments sont en partie absorbés par la paroi intestinale;

– l'iléon (30 à 70 cm), fortement musclé, chasse les matières vers le gros intestin.

6. Le foie, qui pèse 5 kg, est la plus grosse glande de l'organisme. Outre ses nombreuses fonctions, il participe à la digestion en sécrétant de la bile qu'il déverse directement dans le duodénum (le cheval ne possède pas de vésicule biliaire).

Le système digestif

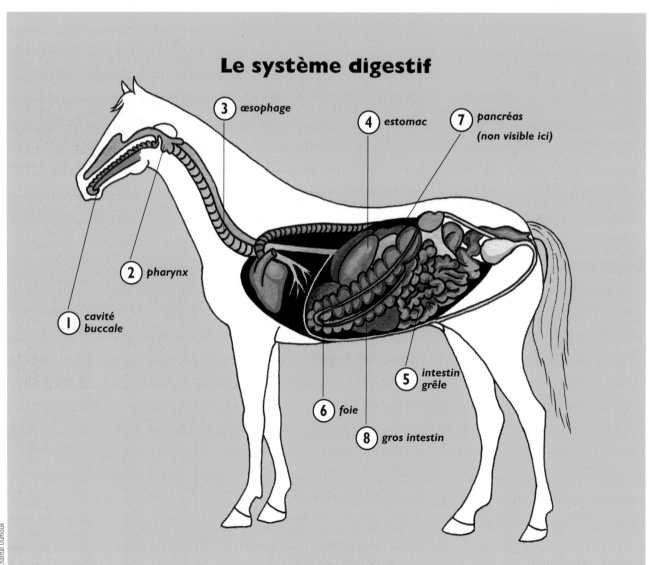

③ œsophage
④ estomac
⑦ pancréas (non visible ici)
② pharynx
① cavité buccale
⑤ intestin grêle
⑥ foie
⑧ gros intestin

Chantal Dumoux

Bob Langrish

Souvent, ces aliments sont mangés trop rapidement et en trop grandes quantités, ce qui provoque de sérieux encombrements dans l'estomac ou les intestins.

FRACTIONNER

On comprend mieux pourquoi il est vital de fractionner les rations d'aliments concentrés en au moins trois petits repas, et de procurer une part importante de l'alimentation en fourrage. Celui-ci, absorbé lentement et par petites quantités, en continu, fournit un « lest » important et assure le bon transit intestinal.

Bon à savoir

Un long voyage
Le cycle digestif (toutes les transformations d'un aliment depuis la prise en bouche jusqu'à l'expulsion du crottin) dure de 24 à 48 h. Le transit intestinal est continu. On doit toujours entendre des gargouillis rassurants dans le ventre du cheval : un silence peut indiquer l'arrêt, toujours grave, du transit.

7. Le pancréas déverse environ 7 litres par jour de suc pancréatique dans le duodénum! Les enzymes de ce suc digèrent les graisses, les protides et les glucides. Le pancréas produit aussi des hormones très importantes qui règlent le taux de glycémie (quantité de sucre) dans le sang.

8. Le gros intestin comprend le cæcum, le côlon et le rectum.

Le cæcum du cheval, d'une capacité de 30 à 35 l, est une sorte de cuve de fermentation. C'est un peu l'équivalent de la panse des ruminants : son rôle essentiel est de digérer la cellulose (très abondante dans les végétaux, en particulier dans la paille).

Le côlon remplit pratiquement la moitié inférieure de l'abdomen où il se replie deux fois sur lui-même. Des sections larges et des sections étroites alternent ; en outre, le côlon est fixé de façon assez lâche. Cela prédispose le cheval aux coliques, les matières restant bloquées dans les coudes. L'intestin peut aussi se tordre ou se déplacer, rendant nécessaire une intervention chirurgicale.

Le côlon s'achève par le petit côlon, long de 4 m, où se forment les crottins, qui sont poussés dans le rectum, puis expulsés par l'anus.

POURQUOI ÇA COINCE?

Les chevaux vivant en box sont particulièrement exposés aux coliques, troubles intestinaux qui peuvent s'avérer mortels. L'étude, même superficielle, du système digestif du cheval permet d'en mieux comprendre l'origine.

TROP CONCENTRÉ

En liberté ou au pré, les chevaux passent le plus clair de leur temps à brouter. De petites quantités d'herbe, riche en eau, transitent rapidement par l'estomac avant de passer dans les intestins.
En captivité, le cheval absorbe de grosses rations d'aliments secs et riches – céréales ou granulés – qui risquent de gonfler dans l'estomac ou au niveau de l'intestin, provoquant dans l'une des courbures d'importants bouchons, parfois même des torsions ou des déplacements du gros intestin.

Laci/Sunset

Le bon geste

La cavité buccale fait partie du système digestif : une partie importante de la digestion s'y déroule. La mastication des aliments et l'imprégnation de ceux-ci par la salive constituent une étape essentielle de la digestion. Contrôler régulièrement l'état de la denture est essentiel pour prévenir les problèmes digestifs, parfois mortels, dont souffrent les chevaux.

Alimentation et digestion

*L'estomac du cheval est petit : sa contenance ne dépasse guère 15 à 18 litres.
Il ne fonctionne correctement que s'il n'est plein qu'aux deux tiers :
soit une capacité pratique de 10 à 12 litres, bien petite pour digérer
les 50 à 70 litres d'aliments, additionnés de salive, que le cheval engloutit chaque jour !*

Kit Houghton

LES RÈGLES DIÉTÉTIQUES

Le cheval a un petit estomac et un gros colon. Il est fait pour manger toute la journée presque sans interruption. Quand il vit au box, son alimentation doit être particulièrement étudiée.

UNE DIGESTION PARTAGÉE

Seul un tiers de ce que le cheval ingère reste dans son estomac (pendant 6 à 8 h) pour y être digéré. Le reste ne fait que transiter par la poche gastrique avant d'être digéré plus loin. Les protéines et les graisses des céréales sont lysées par les enzymes de l'intestin grêle, tandis que les fibres ne sont détruites que dans le gros intestin.

EAU-FOIN-GRAINS

Ces éléments de physiologie permettent de comprendre pourquoi il faut d'abord abreuver les chevaux, puis leur donner du foin, avant de terminer, quand ils ont consommé leur fourrage, par la distribution des céréales ou des aliments complets. Si l'on donne à boire après le grain, celui-ci va gonfler et provoquer des dilatations douloureuses de l'estomac.

Le foin doit être ingéré avant le grain, car il passe dans l'estomac sans s'y arrêter. Il est digéré au niveau du gros intestin. Donné après la ration de grain, il pousse celle-ci hors de l'estomac, puis de l'intestin grêle et compromet sa bonne digestion par les sucs gastriques et intestinaux.

LE COIN DU PRO

Le foin met en moyenne 36 h pour traverser le tube digestif du cheval, tandis que le grain se retrouve dans les crottins après 26 à 30 h seulement. L'estomac ne parvient à retenir qu'un tiers de la ration, qu'il digère pendant 5 à 6 h. L'intestin grêle (22 m de long) est franchi en 1 à 2 h, au cours desquelles s'opère le gros de la digestion des protéines et des graisses. Le bol alimentaire séjourne ensuite 30 h dans le gros intestin, dont 5 h dans le cæcum. C'est là que s'effectue la fermentation qui permet l'exploitation de l'énergie contenue dans le sucre des plantes.

Si le cheval n'a pas accès librement à un point d'eau, il doit être abreuvé avant de recevoir sa ration de foin et surtout celle de grains.

Bob Langrish

RÉGULARITÉ

Il est essentiel que les chevaux qui vivent au box et reçoivent des rations d'aliments concentrés (grains, granulés, etc.), soient nourris à heures fixes. Leur organisme est en effet conditionné pour secréter des enzymes et des sucs digestifs aux heures habituelles des repas. Le respect de cet horaire leur assure donc une meilleure digestion et un plus grand confort psychologique.

Le saviez-vous ?

Un cheval nourri avec du grain ou des aliments complets reçoit sa ration en trois repas quotidiens : son estomac, étant donné sa faible capacité, se remplit et se vide environ trois fois par repas.

Le système digestif du cheval nourri au box adopte peu à peu le rythme des heures de repas fixes.

TRAVAIL ET DIGESTION

Lorsque les chevaux vivent à l'écurie et reçoivent trois grosses rations par jour, il faut éviter de les faire travailler juste après le repas. En effet, la digestion d'une ration de grains très énergétique avalée en dix minutes représente, en elle même, un effort important. Le travail de l'estomac et de l'intestin grêle mobilise une partie du flux sanguin – qui ne peut donc aller irriguer en même temps les muscles auxquels on demanderait un effort soutenu – et de l'énergie de l'animal. Afin de ne pas perturber le travail de la digestion, on recommande de laisser le cheval au repos pendant les deux heures qui suivent le repas. D'autre part, un effort survenant trop longtemps après un repas risque de mettre le cheval en hypoglycémie – insuffisance de sucre dans le sang. Le matin au réveil, par exemple, les réserves énergétiques du cheval sont en partie consommées. Il est préférable de lui donner au moins une petite collation facile à digérer – carottes, pommes, etc. – avant de lui demander un travail pour lequel son organisme devra faire appel à ses réserves.

UN SPÉCIALISTE DES HERBES PAUVRES

Le système digestif du cheval fait figure d'exception au sein du vaste monde des herbivores. Il est en effet l'un des seuls (avec le lapin) à utiliser son gros intestin là où les ruminants utilisent leur estomac.

BON A SAVOIR

Afin de permettre aux chevaux vivant en groupe de bien digérer leur ration, il est important de leur aménager des mangeoires qui leur permettent de prendre leur temps pour ingérer leur picotin. L'idéal est un système de stalles libre-service qui laisse une «place à table» à chaque convive et évite que les plus faibles ne soient délogés par les dominants du groupe.

GROS PLAN
Du bon foin en quantité

Les chevaux ont absolument besoin de recevoir une partie significative de leurs apports caloriques sous forme de foin. Ce fourrage leur permet de grignoter plusieurs heures par jour, ce qui limite le stress lié à l'inactivité. Il stimule, en outre, la motricité digestive et facilite la digestion.

Ce lest ne doit cependant pas être trop grossier sous peine de provoquer des embarras digestifs ou des coliques. Il ne doit pas non plus être trop abondant chez le poulain, ni chez le cheval qui travaille intensément.

La cellulose doit représenter de 15 à 18 % de la ration totale de l'animal.

DIGÉRER LA CELLULOSE

Contrairement aux carnivores et aux omnivores, les herbivores sont capables de digérer la cellulose, ce sucre qui donne leur rigidité aux plantes. Une flore microbienne hébergée dans leur tube digestif se charge de cette digestion. Chez le cheval, ces microbes spécialisés dans la fermentation de la cellulose se trouvent dans le gros intestin, alors qu'ils vivent dans l'estomac chez les ruminants (vache, mouton, cerf, chameau, etc.).

RUMINANTS CONTRE ÉQUIDÉS

A condition que les plantes consommées ne contiennent pas plus de 15 % de cellulose, les équidés les digèrent aussi bien que les bovins. Pour les plantes plus riches, les bovins semblent plus performants. Mais si la végétation est pauvre, ce sont les équidés qui reprennent l'avantage, car ils peuvent manger 18 h par jour, tandis que les bovins sont contraints de s'interrompre 6 h par jour, sans compter les heures de sommeil, pour ruminer.

La reproduction : la jument

Quiconque souhaite faire un jour saillir sa jument doit se préoccuper de connaître ses organes génitaux et leur fonctionnement. L'anatomie et la physiologie de son appareil reproducteur présentent des particularités intéressantes.

Bob Langrish

LE CYCLE DE REPRODUCTION

La jument est programmée pour se reproduire durant le printemps et l'été. C'est la raison pour laquelle elle n'entre en chaleur que pendant ces périodes. Elle peut pratiquement mettre au monde un petit tous les ans.

L'ŒSTRUS

La jument n'est réceptive aux sollicitations de l'étalon que lorsqu'elle est en chaleur. En dehors de ces périodes, le mâle se fait systématiquement éconduire. Les périodes de chaleur, également nommées œstrus, correspondent au moment où la jument ovule, c'est-à-dire produit un œuf prêt à être fécondé.

LE SAVIEZ-VOUS ?

Les éleveurs qui souhaitent faire naître les poulains très tôt dans l'année provoquent le déclenchement des chaleurs de la jument en exposant celle-ci à la lumière artificielle.

DES CHALEURS VARIABLES

Les périodes de chaleur de la jument durent en moyenne sept jours, mais peuvent parfois se réduire à deux jours ou, au contraire, se prolonger 15 jours. Leur durée varie selon les saisons. Elles sont particulièrement longues au début du printemps et très courtes au cœur de l'été (juillet-août).

UN CORTÈGE DE SIGNES ANNONCIATEURS

Lorsqu'elle est en période d'œstrus, la jument va elle-même au devant de l'étalon et le provoque. Sa vulve clignote, c'est-à-dire que ses lèvres s'ouvrent rythmiquement, exposant le rose des muqueuses. Fréquemment, un peu d'urine odorante s'échappe de son sexe. L'étalon sait alors qu'elle est prête pour l'accouplement. Il doit néanmoins lui faire sa cour avant d'être autorisé à la saillir.

Une fois fécondée, la jument cesse habituellement d'avoir ses chaleurs et l'étalon se fait repousser.

Bon à savoir

Contrairement à ceux de la femme, les ovaires de la jument n'ont pas une activité continue, mais fonctionnent de manière cyclique et saisonnière. C'est l'augmentation de la durée des jours (donc de l'exposition à la lumière) qui déclenche le retour des chaleurs au début du printemps. A l'inverse, à l'automne, le raccourcissement des jours provoque la mise au repos du système génital de la jument.

DES POULAINS À LA CHAÎNE

Onze mois après la fécondation, le poulain naît, le plus souvent de nuit. La jument connaît une période de chaleur dans les dix à vingt jours qui suivent le poulinage. C'est ce que l'on appelle les chaleurs de lait. Elle peut ainsi enchaîner immédiatement une nouvelle gestation. Il s'agit là d'une particularité de l'espèce équine. La plupart des mammifères (dont la femme) connaissent, en effet, une période d'inactivité ovarienne après chaque naissance.

A moins d'un accident ou d'une maladie, les juments ne connaissent pas la ménopause. Elles peuvent se reproduire toute leur vie, à raison d'un poulain par an.

Sorrel

L'APPAREIL GÉNITAL DE LA JUMENT

Il est formé de tous les organes qui permettent la reproduction, c'est-à-dire la fabrication de l'ovule, sa rencontre avec le spermatozoïde et l'hébergement de l'œuf pendant la gestation.

• LES OVAIRES

Ces deux petits « haricots » de 7 sur 4 cm se dissimulent assez haut, entre les dernières côtes de la jument et ses hanches. Ils renferment dès la naissance un stock de plusieurs milliers d'ovules qui permettront des ovulations durant toute la vie de l'animal.

• LES OVIDUCTES OU TROMPES DE FALLOPE

Ces conduits relient les ovaires à l'utérus. Longs de 25 cm, ils ne mesurent que 2 à 3 mm de diamètre. Cela suffit toutefois largement au passage des spermatozoïdes vers l'ovaire, puis de l'œuf vers l'utérus.

• L'UTÉRUS

L'utérus ressemble à un Y car il possède deux cornes qui remontent chacune vers un ovaire. Normalement, le poulain n'en occupe qu'une. Il arrive toutefois qu'il prenne ses aises et occupe les deux cornes utérines. Il peut alors se produire des complications au moment de la mise bas.

• LE VAGIN

Il mesure de 20 à 25 cm de long sur 10 à 12 cm de large. A son extrémité inférieure, le col de l'utérus, un puissant sphincter musculaire, pointe sur une longueur d'environ 4 cm.

• LA VULVE

La vulve désigne la partie commune à l'appareil génital et au système urinaire. Elle se compose du vestibule, qui mesure une dizaine de centimètres et héberge les glandes vestibulaires, des lèvres vulvaires (capables de clignoter en période d'œstrus) et du clitoris.

Gros plan

La jument doit être saillie pendant l'ovulation pour être fécondée. L'ovule ne peut être fécondé que dans les 12 h qui suivent l'ovulation; d'autre part, les spermatozoïdes ne survivent qu'un ou deux jours dans l'utérus de la jument. C'est pourquoi les saillies en liberté connaissent le meilleur taux de réussite: la jument s'offre à l'étalon au meilleur moment. Si la jument est entravée, forcée, les risques d'échec sont plus élevés.

Lacz/Sunset

LE COIN DU PRO

Chez la jument, il arrive que les périodes de chaleur se produisent en dehors de toute ovulation. Certaines juments stérilisées, pleines ou « ménopausées » continuent ainsi à solliciter périodiquement les mâles. Cette particularité de la gent équine permettrait de retenir l'étalon auprès des juments et contribuerait à la cohésion du groupe.

Fichaux/Sunset

Organes génitaux de la jument
Vue dorsale

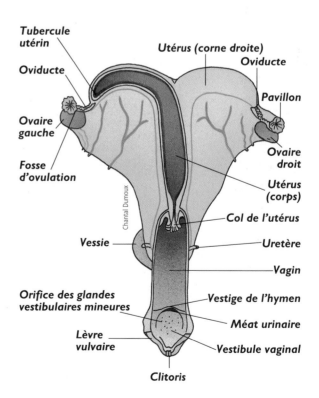

Tubercule utérin
Oviducte
Ovaire gauche
Fosse d'ovulation
Utérus (corne droite)
Oviducte
Pavillon
Ovaire droit
Utérus (corps)
Col de l'utérus
Vessie
Uretère
Vagin
Orifice des glandes vestibulaires mineures
Vestige de l'hymen
Méat urinaire
Lèvre vulvaire
Vestibule vaginal
Clitoris

Chantal Dumoux

Bob Langrish

PSYCHOLOGIE ET COMPORTEMENT

La saison des amours

Il est fascinant d'observer un troupeau de chevaux sauvages durant la saison des amours et de voir comment l'étalon et les juments se témoignent leur attirance réciproque.

G. Lacz/Sunset

LE PRINTEMPS : LUMIÈRE ET ODEURS

C'est au printemps que débute chez les équidés la période des amours. Dès que les jours commencent à s'allonger, la lumière stimule la sécrétion de certaines hormones, tant chez le mâle que chez la femelle, et les prépare à la reproduction.

Lorsque les juments sont prêtes pour l'accouplement, elles émettent des phéromones, dont l'odeur se dégage principalement au niveau des flancs et de la croupe. L'étalon peut percevoir ces odeurs à plus d'un kilomètre de distance. Quand il sent une jument en chaleur, il commence à lui faire la cour.

UNE COUR ASSIDUE

L'étalon lève la tête, dilate les naseaux, pointe les oreilles et hume l'air. L'encolure arquée, secouant la tête et portant la queue en panache, il s'approche de la jument. Il peut l'encercler et la suivre en couinant et en émettant de petits hennissements. Il renifle et mordille ses flancs et sa croupe. Un étalon sait qu'il faut toujours approcher une jument latéralement pour éviter les éventuels coups de pied. Si elle est prête à accepter le mâle, la jument peut être saillie plusieurs fois au cours de ses chaleurs avant d'être pleine. La durée de la gestation est de onze mois.

Ici, l'un des deux chevaux cherche à atteindre la trachée de son adversaire : un coup mortel !

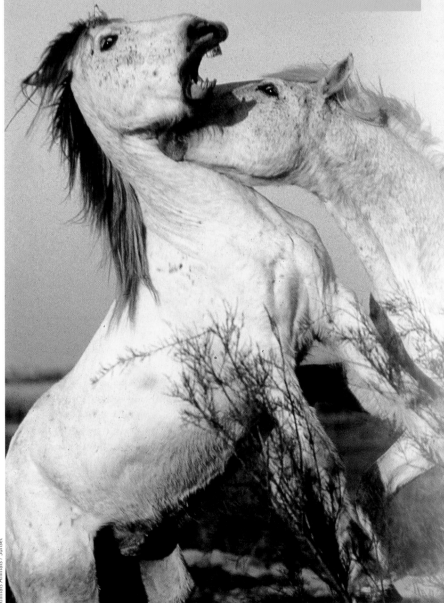

Animals Animals / Sunset

LES MÂLES RIVAUX

Dans la vie sauvage, chaque mâle doit avoir sa place et la respecter. L'étalon ne tolère pas la présence d'autres mâles en âge de procréer et les chasse du troupeau.

Les jeunes chevaux de deux ans se regroupent en bandes. Mais dès qu'ils arrivent à maturité sexuelle, ils se séparent et mènent une vie solitaire. Ils cherchent à former à leur tour un troupeau. Pour cela, ils regroupent parfois des juments isolées que l'étalon dominant a chassé de son troupeau. Mais très vite ils cherchent à dérober des juments dans le troupeau même, affrontant l'étalon en titre. Petit à petit, ils s'aguerrissent et l'un d'eux parvient à prendre la place de l'étalon.

Seuls les mâles les plus forts et les plus audacieux pourront, à l'issue de combats parfois tragiques, évincer l'étalon et conquérir ainsi leur propre troupeau.

Les étalons âgés et vaincus mènent alors une existence solitaire.

UNE PLACE CHÈREMENT DÉFENDUE

Lorsqu'un jeune entier approche du troupeau, l'étalon le menace d'abord en chargeant. Si l'intrus ne se laisse pas intimider, le combat est inévitable. Les deux mâles se battent à coups de pieds et de dents. En général, l'un des combattants constate la suprématie de l'autre. Il renonce et se retire. Les deux chevaux en sont quitte pour quelques blessures plus ou moins sérieuses. Mais il arrive que l'un d'eux meure des suites du combat.

Lorsqu'une jument est en chaleur, elle émet des phéromones dont l'odeur est très bien perçue par le mâle. Ce dernier retrousse alors son nez dans une mimique caractéristique appelée « flehmen ».

BON A SAVOIR

Un étalon domestiqué se comporte exactement de la même manière qu'un étalon sauvage. C'est pourquoi la présence d'une jument en chaleur peut rendre un cheval entier difficile, voire dangereux à monter pour le cavalier.

LA PÉRIODE DES POULINAGES

Pour que le poulain ait toutes les chances de se développer dans les meilleures conditions, la nature a prévu qu'il naisse au début de la belle saison. La saison des amours débutant au printemps et la gestation durant onze mois, le poulain verra le jour au printemps suivant. La température est clémente, l'herbe pousse...

Un poulain né trop tôt souffre du mauvais temps. Faute d'herbe assez abondante, sa mère risque de manquer de lait.

Inversement, un poulain né tard dans la saison est trop faible à l'entrée de l'hiver, qui risque de lui être fatal.

Dès que la jument est pleine, elle refuse l'étalon, qui se désintéresse d'elle. Peu de temps avant la mise bas, la jument s'éloigne de ses congénères, recherchant la tranquillité. Quelques mois après la naissance, elle est de nouveau prête à être saillie.

G. Lacz/Sunset

Dans un troupeau sauvage, les poulains conservent longtemps un lien avec leur mère. Ici, les juments sont déjà de nouveau pleines. Il n'est pas rare de voir une jument suivie de ses trois petits : celui qui vient de naître, son poulain de 1 an et celui de 2 ans, qui devra bientôt quitter le troupeau.

ATTENTION, DANGER !

Les étalons qui assurent la reproduction sont souvent des animaux agressifs et nerveux, qui sont susceptibles d'attaquer l'homme. Avant de traverser un pré où paissent plusieurs chevaux, assure-toi qu'il n'y a pas un étalon parmi eux. On le reconnaît aisément à son physique imposant : une encolure très incurvée et massive, une croupe et des reins généralement arrondis – comme on le voit chez ce superbe étalon.

Thomas / Sunset

L'instinct maternel

D'instinct, la jument connaît les gestes nécessaires à la survie de son poulain.
Leur attachement réciproque est immédiat – et indispensable !
Il se prolonge plus longtemps qu'on ne pourrait le croire.

G. Lacz/Sunset

L'INSTINCT MATERNEL : IL COMMENCE AVANT LA NAISSANCE

Avant même les premières contractions, l'instinct maternel semble dire à la jument ce qu'elle doit faire pour protéger son poulain. Elle cherche à s'isoler et peut retarder la mise bas tant que les circonstances ne lui paraissent pas convenir à la sécurité de son petit.

PREMIERS PAS

Pendant toutes les phases de la naissance, la jument connaît les gestes qui assurent la survie du poulain : couper le cordon, lécher le poulain pour le réchauffer et pour stimuler sa circulation sanguine.

Dès qu'elle le peut, elle se relève et incite son poulain à en faire autant pour prendre sa première tétée.

L'échange d'odeurs et de sensations pendant les premières heures de vie du poulain assure l'attachement entre la mère et son petit.

L'INSTINCT

Le poulain se tient sur ses jambes quelques heures après sa naissance. S'il vit en liberté avec sa mère, celle-ci va l'inciter très rapidement à la suivre au galop. Elle lui enseigne à fuir rapidement dès qu'elle émet des signaux d'alerte. C'est le premier apprentissage du poulain pour sa survie. Lors des premiers galops, il reste collé au flanc maternel. La jument se place toujours entre la menace et son poulain.

MÈRE COURAGE

Lorsque le danger ne permet plus la fuite, la jument fait face. Son poulain est derrière elle ou contre elle au niveau des hanches. Une jument qui sent son poulain menacé se montre très agressive. Elle attaque à coups de dents et de pieds. Plutôt que de laisser toucher à un crin de son poulain, elle se fera tuer sur place.

Beaucoup de gens sont touchés par ce courage admirable. C'est une réaction très humaine. La jument est un modèle de mère, mais elle n'a pas d'autre choix : son instinct commande et elle serait incapable de prendre l'initiative d'un autre comportement.

UN DIALOGUE PERMANENT

Peu à peu, le poulain acquiert de l'autonomie. Il décrit autour de sa mère des cercles de plus en plus grands pour explorer le monde. Passé les premiers mois, il gambade assez librement dans le pré, joue avec les autres poulains et visite systématiquement son environnement.

Sa mère le surveille constamment et reste en contact avec lui par divers échanges sonores – grognements, petits cris, cris d'alerte, hennissements. Dès qu'il s'éloigne trop, ou s'expose à un danger, elle le rappelle à l'ordre par des hennissements impérieux. La distance tolérée évolue avec l'âge du poulain, mais la jument a toujours très peur d'être séparée de son petit.

LES BONNES MANIÈRES

Le poulain joue beaucoup avec sa mère. Il la teste en permanence. Elle se prête gentiment au jeu : c'est l'occasion de lui enseigner mille choses. L'attitude maternelle définit les règles et les limites de ce qui est permis. Elle met en garde le poulain contre une effronterie excessive, lui apprend à respecter la hiérarchie sociale, à ne pas s'adonner à des jeux dangereux, à ne pas faire mal. La jument corrige souvent son poulain. C'est son rôle : lui apprendre les règles sans lui faire de mal. Auprès des autres chevaux, l'apprentissage risque d'être plus douloureux.

Le coin du pro

Le sevrage : dur et cruel !

Le sevrage est le moment où le poulain doit cesser de téter sa mère. Dans la nature, il se fait très progressivement. Mère et poulain prennent des distances peu à peu, mais il n'y a pas de rupture. Mais, dans un élevage, il n'est pas rare que l'on sépare le poulain de sa mère brutalement à l'âge de six mois. Pendant plusieurs jours, mère et poulain manifestent une détresse profonde. Il faut absolument éviter un tel sevrage, qui bafoue l'instinct profond de la jument et traumatise durablement le poulain. Aucun argument ne justifie cette intervention cruelle. Si l'on souhaite que le poulain cesse de téter, il faut le séparer très progressivement de sa mère, quelques instants par jour d'abord, puis quelques heures, enfin une journée.

Pendant les premières semaines du poulain, la jument est extrêmement vigilante, notamment pendant les tétées.

Sorrel

90

L'APPRENTISSAGE DE LA NOURRITURE

C'est encore l'instinct qui permet à la jument d'apprendre à son poulain ce qui est bon et mauvais à manger. L'apprentissage se fait presque « bouche à bouche ».

A TABLE !

Le poulain commence très tôt à brouter avec sa mère. Au début, il se contente de flairer et de mâchouiller quelques herbes. Il mange strictement là où sa mère mange, nez à nez avec elle. C'est ainsi qu'il apprend à identifier les herbes comestibles. Lorsqu'elle trouve une plante toxique, la jument produit une sorte de ronflement avec les naseaux. Ce signe de « grand danger » s'inscrit dans le cerveau du poulain, associé à l'odeur particulière de la plante.

Il apprendra de même à manger le foin, les granulés ou tout autre aliment que sa mère absorbe devant lui, interprétant ainsi le message : « Tu peux en manger, c'est bon pour toi. »

L'ADOLESCENCE

Peu à peu, la vie en collectivité prend le dessus. Le poulain passe moins de temps avec sa mère, plus avec les autres jeunes. Il joue, fait la sieste, broute avec eux.

La jument l'encourage à prendre des distances. Elle manifeste de l'impatience quand il cherche à jouer avec elle, ne le laisse plus téter aussi souvent. Le sevrage se fait peu à peu. Dans la nature, la jument laisse téter le poulain jusqu'à la naissance d'un autre petit.

Lors des premiers galops, le poulain reste très proche de sa mère, au niveau de son flanc.

Lorsqu'un troupeau se déplace, les juments encadrent toujours les poulains.

Mère et poulain passent beaucoup de temps à se lécher et à se gratter mutuellement.
Ces échanges éveillent les sens du poulain.

UN PARFUM INOUBLIABLE

Pendant les premières heures, la jument lèche et flaire abondamment son poulain. Elle s'imprègne de son odeur et l'imprègne de la sienne. Cette imprégnation est indélébile. Ils se reconnaîtront toujours, même au sein d'un troupeau, même après une longue séparation.

Le cheval et l'amitié

On raconte beaucoup d'histoires de chevaux inséparables ou se prenant d'amitié pour un autre animal… et on constate tous les jours que les chevaux ont leurs têtes : certains semblent s'apprécier et d'autres se détester. Les chevaux ont-ils des sentiments ? Connaissent-ils l'amitié ?

L'AMITIÉ ENTRE CHEVAUX : UNE RÉALITÉ

Qui n'a entendu les cris déchirants d'un cheval dont le compagnon s'éloigne ? Ou l'accueil délirant qu'il lui fait au retour ? Sans projeter sur lui des sentiments humains, on ne peut s'empêcher de lui prêter des émotions qui font songer à un vif attachement.

L'INSTINCT GRÉGAIRE

Au sein d'un troupeau de chevaux libres, l'instinct grégaire prend le dessus. Chaque cheval répond à son instinct de survie, qui lui commande de se fondre dans le troupeau. Il se plie aux règles du groupe pour ne pas en être exclu, car l'exclusion est pour lui synonyme de danger. C'est quand il est détaché du troupeau, isolé, qu'il risque de devenir la proie d'un prédateur.

UN CONTACT CONSTANT

La cohésion de la troupe est constamment renforcée par des échanges vocaux et des contacts physiques. Les chevaux communiquent entre eux par de brefs hennissements, des renâclements plus ou moins cordiaux. Ces signes, accompagnés de mimiques et d'attitudes précises, définissent la place de chacun. Quotidiennement, les chevaux se flairent, se lèchent, se grattent réciproquement, jouent ensemble.

ON SE CONNAÎT ?

Ainsi, au sein d'un troupeau, chacun reconnaît la voix et l'odeur de tous les autres. Cela permet de déceler aussitôt un individu extérieur au troupeau. De même, chacun sait qui le domine et qui il domine. Et, incontestablement, certains chevaux semblent bien s'entendre et se rapprochent volontiers. D'autres au contraire se tiennent à distance et s'évitent.

L'INSTINCT GRÉGAIRE À L'ÉCURIE

En captivité, le cheval ne développe pas des rapports sociaux normaux avec ses congénères. Son besoin le plus profond, celui d'assurer sa survie par la fuite, est contrarié. Néanmoins, l'instinct grégaire subsiste. Pour le cheval, le plus important, ce sont les autres chevaux. Dans son esprit, écurie = troupeau. En rentrant à l'écurie, il rejoint les autres, donc il retrouve la sécurité.

DOMINANTS ET DOMINÉS

Malgré la pauvreté des contacts qui se nouent dans une écurie, les chevaux établissent des règles sociales. Certains sont redoutés par l'ensemble des autres. Ce sont des dominants. D'autres se montrent au contraire conciliants envers tous leurs congénères et s'empressent de rentrer dans le rang à la moindre menace.

CHER VOISIN

Le voisinage rapproche parfois les chevaux. Ils sont côte à côte toute la journée, peuvent parfois se flairer à travers les barreaux. Ils font alors entendre des hennissements déchirants si leur compagnon part en balade sans eux, et l'accueillent au retour par des manifestations de plaisir.

De telles sympathies surviennent aussi entre des chevaux qui ne sont pas logés côte à côte. S'ils font montre d'une attirance réciproque, on a tout intérêt à les rapprocher.

JE NE PEUX PAS LE SENTIR !

A l'inverse, certains voisins de box ne se supportent pas. Ils ne manquent pas une occasion d'échanger des menaces, de taper dans la paroi ou dans leur porte. Cette inimitié perturbe leurs repas et leur repos. Elle rend les soins difficiles et contribue d'une manière générale à la nervosité des deux animaux. Le plus sage est de les séparer en modifiant l'occupation des box.

L'amitié avec un autre cheval peut avoir un effet très apaisant. Au point que certains chevaux de compétition ne partent pas en concours sans leur copain préféré, qui restera attaché au camion mais participera… moralement !

Sorrel

L'ATTACHEMENT ENTRE CHEVAUX : PEUT-ON L'EXPLIQUER ?

La raison de l'attachement entre deux chevaux trouve parfois son explication dans une grande familiarité. Ces deux-là sont les plus anciens de l'écurie : voilà des années qu'ils se fréquentent. Ou bien deux chevaux ont passé plusieurs mois ensemble au pré. D'autres fois, cette raison reste mystérieuse. L'odeur joue sans doute un rôle important, comme dans l'inimitié d'ailleurs.

RESPECTER LES ATTACHEMENTS

Dans la mesure du possible, il faut respecter les lois qui régissent les relations entre les chevaux. Même si leurs raisons nous échappent, mieux vaut ne pas contraindre deux ennemis à cohabiter, ni séparer deux animaux qui paraissent attachés l'un à l'autre. D'ailleurs, un moniteur qui connaît bien sa cavalerie sait qu'il n'a aucun intérêt à rapprocher des ennemis ou à séparer des amis.

Bon pour le moral

Encouragez les échanges. Au box, votre cheval est privé de ces multiples gestes qui font sa vie dans la nature : se flairer, jouer, se gratter, se lécher… Les contacts avec d'autres chevaux, et particulièrement avec ceux qui ont sa sympathie, favorisent l'équilibre de votre cheval.

Certains chevaux dépriment en captivité. Il faut leur donner un compagnon : poney, chèvre, mouton… Chat et cheval font souvent amitié.

BON A SAVOIR
Et au pré ?

Vous souhaitez mettre votre cheval au pré avec un ou plusieurs compagnons, et vous vous demandez s'ils vont s'entendre. Si votre cheval est seul avec un autre, tous deux devraient finir par lier amitié. Comme les enfants, les chevaux préfèrent « n'importe quel copain » plutôt que la solitude.

Si les chevaux sont plus nombreux, les choses se mettront normalement en place rapidement. Après quelques menaces et éventuels coups de dents les premiers jours, chacun connaîtra sa place dans le groupe. Des sous-groupes se formeront en fonction des affinités. Dans de très rares cas, la mésentente prend de telles proportions qu'il faut séparer certains individus.

Prenez la précaution de déferrer votre cheval, assurez-vous que les autres le sont aussi.

Sorel

*Un baiser ?
C'est un point de vue trop humain !
Mais un échange amical, sans doute !*

*Ami ou ennemi ?
Au cours de cet échange,
tout est dit !*

Bob Langrish

G. Lacz/Sunset

La peur

*Les réactions provoquées par la peur sont souvent les plus dangereuses :
une bonne connaissance de la psychologie du cheval permet de les prévenir ou, du moins,
de savoir comment se comporter pour ne pas accroître sa panique.*

Lacz / Sunset

UNE FORCE PAS TRÈS TRANQUILLE

Malgré sa masse, malgré sa force, malgré la peur qu'il nous inspire parfois, le cheval a la réputation d'être un animal craintif. Et ses réactions en cas de peur comptent parmi celles que le cavalier redoute le plus.

MANGEUR OU MANGÉ ?

On pourrait schématiquement diviser le règne animal en deux grandes catégories : les mangeurs et les mangés, c'est-à-dire les prédateurs et les proies. Évidemment, rien n'est si simple car on peut être mangeur et se faire manger. Mais tous les herbivores sont des proies et seulement des proies. Ils n'ont pas un comportement agressif et s'appliquent à éviter les prédateurs.

LE SALUT COLLECTIF

En liberté, le cheval vit à l'intérieur d'un troupeau. La sécurité est assurée par le groupe. Chacun reste vigilant, prêt à signaler aux autres le moindre danger. Lorsqu'une partie du troupeau se repose, l'autre reste en éveil pour « monter la garde ». Un prédateur ne s'attaque jamais au groupe, mais toujours aux sujets isolés. C'est pourquoi l'instinct grégaire est si puissant chez des animaux comme le cheval : la sécurité, c'est le groupe.

COURIR VITE

La sécurité, c'est aussi la fuite. Les meilleurs moyens que la nature donne au poulain pour assurer sa survie, ce sont ses longues jambes, qui lui permettent, quelques jours après la naissance, de courir aussi vite que sa mère et de suivre le troupeau. Cela reste vrai à l'âge adulte. Le cheval n'a ni griffes, ni dents acérées, il ne peut ni grimper aux arbres ni se glisser dans un terrier : il n'a que sa vitesse pour se mettre à l'abri.

A L'ÉTAT DOMESTIQUE

Dans la plupart des cas, le cheval domestique est séparé de ses congénères et privé de la possibilité de fuir – quand il n'est pas carrément attaché le nez au mur. En isolant un cheval et en l'enfermant dans un box, on brime deux instincts fondamentaux : l'instinct grégaire et l'instinct de fuite. Même lorsqu'il est monté, le cheval est « bridé », coincé entre les mains et les jambes du cavalier. En cas de danger, on l'empêche souvent de fuir.

LA PEUR EST DANGEREUSE

On ne peut donc s'étonner que le cheval domestique développe des réactions de peur parfois excessives. Privé de ses moyens de défenses naturels, il se sent très menacé. Les chevaux d'un tempérament nerveux, ceux qui ont subi un débourrage brutal ou un traumatisme, risquent de devenir névrosés. Tout leur fait peur, ils sont constamment sur la défensive. Ce sont des montures difficiles et dangereuses.

QUE FAUT-IL FAIRE ?

Si l'on a la chance d'acquérir un poulain, il faut s'inspirer du débourrage éthologique pour l'éduquer en lui inculquant à la fois respect et confiance.

Dans le cas (beaucoup plus fréquent !) où l'on achète un cheval déjà débourré, il faut l'éduquer en tenant compte à chaque instant de ses instincts et des frustrations que lui impose la vie domestique.

A ne pas faire...

Frapper un cheval qui a peur ne fait que renforcer son sentiment de crainte: « Vraiment, ce danger est grave, puisqu'il m'arrive des choses désagréables dès que je le rencontre. » La fois suivante, il s'en méfiera encore plus.

Certains chevaux paisibles n'ont peur de rien, ou presque. Mais il est inévitable qu'un cheval ait un jour ou l'autre une réaction de peur : son instinct s'exprime ! Restez calme et ne contrariez pas brutalement sa tentative de se mettre à l'abri.

Bob Langrish

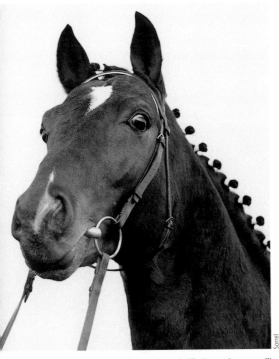

Si votre cheval est très craintif, demandez-vous s'il mène une existence adaptée à sa nature.

Bon à savoir

Lorsqu'un cheval tente de fuir devant quelque chose qui l'effraie, il faut le rassurer de la voix et, sans l'empêcher de se porter en avant (de fuir, dans son esprit), canaliser le mouvement en le faisant tourner autour du danger. Il se calmera beaucoup plus vite que si vous essayez de le contraindre à rester sur place en le corrigeant.

RASSURER AVANT TOUT

Quand on monte un cheval peureux, il faut éviter de renforcer son sentiment de crainte en le « coinçant » et en le menaçant. Si vous avez un cheval à vous, cherchez à établir durablement une relation de confiance.

UNE VRAIE MÈRE

Dans la nature, un poulain suit sa mère partout, quel que soit le danger potentiel. Il a confiance en elle et lui obéit. Un dressage intelligent cherche à recréer cette relation entre le cheval et l'homme. C'est le credo du dressage éthologique – et, depuis toujours, des cavaliers qui ont « le sens du cheval ». Le cheval doit nous accorder une confiance totale et justifiée. Pour lui, nous devons être un dominant bienveillant.

UNE EXISTENCE PLUS ÉQUILIBRÉE

Si tant de chevaux se montrent susceptibles et peureux, c'est parce que leur existence les prive de ce dont ils ont besoin : de l'espace, du mouvement et des relations avec leurs congénères. Les chevaux qui vivent en stabulation libre ou en partie au pré sont en général plus équilibrés et moins craintifs.

Si un cheval se montre ombrageux, s'il réagit pour un oui pour un non, une modification de son mode d'existence peut apporter une amélioration sensible.

LE COIN DU PRO

Il existe des situations qui effraient beaucoup de chevaux, comme monter dans un van ou traverser un gué. Les « trucs » employés pour convaincre le cheval – le faire précéder par un autre cheval par exemple – apportent une solution utile mais provisoire. Le problème de fond demeure. Et c'est à lui qu'il faut s'attaquer par des séances de familiarisation et de mise en confiance quotidiennes mais brèves. Le but est d'amener le cheval à comprendre qu'il n'y a pas de danger (il ne le comprendra pas s'il est contraint ou corrigé) et qu'il peut se fier à vous : si vous entrez dans le van ou dans l'eau, il peut y aller aussi.

La peur est dangereuse : il est vital de savoir rassurer son cheval.

Le sommeil et le repos

*Le cheval dort debout, c'est bien connu ! Mais il lui arrive aussi de se coucher.
Qu'il dorme debout ou couché, il est essentiel de lui ménager des phases de repos au calme,
garantes d'un cheval bien disposé et en bonne santé.*

Lacz / Sunset

UN SOMMEIL TRÈS CONCENTRÉ

Comme beaucoup de quadrupèdes herbivores, le cheval consacre peu de temps au sommeil et ne s'y abandonne totalement que pendant de très courtes périodes. En outre, il a le sommeil susceptible : il lui faut du calme !

JAMAIS DEUX SANS TROIS

Comme le nôtre, le sommeil du cheval se répartit en trois phases : une phase d'endormissement, une phase de sommeil lent et une phase de sommeil paradoxal. Pendant la première phase, l'animal somnole. Le cœur et la respiration ralentissent. Pendant le sommeil lent, le cerveau se met au repos, mais la tonicité musculaire persiste en partie.

Le sommeil paradoxal est à la fois le plus profond et le plus agité. Durant cette phase,

Le bâillement exprime le besoin de repos, même chez le cheval !

l'animal (ou la personne) est totalement relâché mais son cerveau s'active : il rêve.

DORMIR DEBOUT

Pendant les phases d'endormissement et de sommeil lent, le cheval peut dormir debout. Il dispose pour cela d'un système très efficace de blocage des articulations : certains ligaments bloquent les jarrets et les genoux. Les membres du cheval deviennent aussi rigides que des piquets de clôture. Il peut dormir sur ses deux oreilles... ou du moins sur ses quatre pattes !

COMME UNE VACHE ?

Le cheval choisit parfois de se coucher « en vache », avec les membres repliés sous lui, pour se reposer ou pour piquer un somme. Cela dépend des circonstances, de l'environnement et de son état de fatigue. Cela varie aussi d'un sujet à l'autre : certains chevaux se couchent souvent, même pour une simple somnolence, d'autres très peu.

RÊVER COUCHÉ

Pendant la phase de sommeil paradoxal, le cheval se couche presque toujours. Durant cette phase, ses muscles sont totalement détendus : on dit qu'il est en état d'atonie musculaire. Il s'allonge sur le côté, de tout son long. Son sommeil paradoxal est de courte durée.

PETIT DORMEUR

Avec nos 8 h de sommeil, nous sommes gâtés – ne parlons pas des félins, capables de caser 16 h de sieste dans une journée ! Les chevaux, eux, se contentent de 4 h de sommeil environ par 24 h en plusieurs cycles complets et brefs.

INQUIET DE NATURE

Si le cheval dort peu, c'est sans doute parce qu'il occupe une place délicate dans la chaîne alimentaire : herbivore, il doit consacrer beaucoup de temps à brouter et à se déplacer pour se procurer une nourriture suffisante. Il vit plutôt dans des espaces dégagés, exposés au regard des nombreux prédateurs qui le menacent. Pour avoir la vie sauve en cas de danger, il doit réagir vite et fuir. Dans ces conditions, difficile de caser 8 h de sommeil d'affilée ! Les gros dormeurs se trouvent plutôt parmi les carnivores qui mangent de grosses quantités en une fois et ont peu d'ennemis dangereux... il suffit d'étudier la journée d'un lion pour s'en convaincre !

Le saviez-vous ?

On dit que les chevaux qui se couchent fréquemment récupèrent mieux et économisent leurs jambes.

Même pendant le sommeil, le cheval choisit souvent de laisser un jarret se détendre tandis que l'autre, bloqué, assure la station debout.

Sorrel

Kit Houghton

RELAIS DU SILENCE

On ne se préoccupe pas toujours de respecter le repos du cheval. Pourtant, il a besoin de plusieurs vraies siestes par jour.

CHACUN SON TOUR

Comme beaucoup d'animaux, le cheval a besoin de se trouver dans un environnement calme et de se sentir en confiance pour piquer un somme. En liberté et au pré, les chevaux se relaient afin qu'un ou plusieurs d'entre eux montent la garde tandis que les autres dorment. Ils choisissent souvent les moments les plus chauds de la journée pour, selon les saisons, s'endormir au soleil ou s'étendre à l'ombre.

TROIS ÉTOILES

Au box, le cheval doit disposer d'un espace suffisamment grand pour pouvoir s'allonger de tout son long. Malheureusement, les stalles ne sont pas toujours d'un grand confort. Une litière épaisse et propre fournit une couche moelleuse. Le cheval doit pouvoir se retirer au calme plusieurs fois par jour, de préférence après les repas. Il est bon d'aménager une sorte de couvre-feu dans les écuries entre 12 h et 14 h pour que les chevaux récupèrent tranquillement.

Bon pour le moral

Le rêve : une fonction vitale

Les mystères du rêve ne sont pas encore élucidés, mais on pense aujourd'hui qu'une de ses fonctions est la « mise à jour » des données de notre ordinateur interne. Si l'on prive un individu de son cycle de sommeil paradoxal, durant lequel survient le rêve, il devient irritable, montre des troubles de la mémoire et des signes d'épuisement nerveux.

LE COIN DU PRO

Les chevaux qui se couchent fréquemment « en vache » peuvent souffrir d'une tare molle, l'éponge, qui se forme à la pointe du coude, là où le fer appuie. Il suffit en général de faire poser aux antérieurs des fers adaptés, tronqués. La friction étant supprimée, la tare disparaît en général d'elle-même.

Bob Langrish

Les poulains dorment plus que les adultes. Comme chez les enfants, le sommeil joue un rôle fondamental dans la croissance. Laissez-les se reposer !

A surveiller !

Un cheval qui se couche plusieurs fois par jour pendant des périodes prolongées souffre sans doute d'une fatigue excessive ou « couve quelque chose ». S'il subit un entraînement intensif, relâchez l'effort.

Si votre cheval a un rythme de travail qui ne justifie pas sa fatigue, surveillez-le et faites-le éventuellement examiner par un vétérinaire.

Dans la nature, lorsque les chevaux sont en groupe, ils ne dorment jamais tous en même temps. Il y en a toujours un au moins qui veille sur ses compagnons couchés !

Il semblerait que les chevaux se couchent plus volontiers et passent plus de temps allongés lorsqu'ils sont au pré.

Kit Houghton

Bob Langrish

Le hennissement

S'ils avaient un peu étudié le comportement des chevaux, les cinéastes ne les feraient pas hennir
à tout bout de champ. Le cheval, en effet, n'est pas très bavard et réserve l'usage
de sa voix à des circonstances bien précises.

G. Lacz/Sunset

LE SILENCE DU TROUPEAU

Les personnes qui vivent au contact du cheval savent à quel point cet animal est peu bavard. Les éthologues font le même constat : on entend moins de hennissements en une journée près d'un troupeau de 25 à 30 têtes que dans les dix premières minutes d'un western !

UN ÉCHANGE CONSTANT

Les chevaux sont plutôt silencieux. Ils est impératif, pour un mammifère menacé par des prédateurs, d'émettre un minimum de sons car ceux-ci peuvent le faire repérer de loin.

Pourtant, à l'intérieur d'un groupe, la communication est continue. Elle passe par les expressions de la tête et les attitudes du corps, même les plus infimes, comme la direction du regard, l'orientation des oreilles et les mouvements de la queue.

SAVOIR SE PLACER

La position des animaux les uns par rapport aux autres est en soi un langage complexe. La vision du cheval, qui lui permet de couvrir un champ assez important, rend ces échanges particulièrement éloquents. Gestes, expressions et postures sont parfaitement clairs et intelligibles pour les animaux d'un même groupe.

LA VOCALISATION

La complexité et la précision de ce langage corporel rendent généralement superflue la communication sonore lorsque les animaux sont proches. Mais cette dernière existe, avec une infinité de nuances, et va du ronflement des naseaux au long hennissement d'appel. Elle permet aux chevaux de rester en contact même lorsqu'ils sont éloignés. Hennissements et cris sont aussi utilisés pour menacer et mettre en garde.

COMMENT LE CHEVAL HENNIT-IL ?

Le cheval inspire profondément, puis il expulse l'air qui, en passant dans le larynx, fait vibrer les cordes vocales. L'ouverture de la gorge et de la bouche, la position des lèvres, permettent à l'animal de modifier la

Les petits hennissements de bienvenue ou d'interrogation (« qui es-tu ? ») se font en général la bouche fermée, sans que le cheval éprouve le besoin de lever la tête.

tension des cordes vocales et, donc, la nature du son émis. La force avec laquelle l'air est expulsé détermine également la puissance et le registre du hennissement, qui résonne dans les cavités de la tête et de la poitrine.

UN LANGAGE RICHE

Les sons émis par le cheval comprennent une infinité de nuances que seuls les spécialistes distinguent clairement. Mais tous les cavaliers peuvent apprendre à reconnaître les principaux types de hennissements du cheval.

Le hennissement le plus fréquent est un appel : c'est le plus fort et le plus long. Un cheval isolé, qui voit s'éloigner ses compagnons ou qui entend au loin des congénères, pousse un long hennissement sonore. Ce cri est aussi celui du cheval sauvage qui s'est éloigné du troupeau. Il attire l'attention des autres sur sa détresse et attend une réponse qui lui permettra de situer le troupeau.

Bon à savoir

Pour un hennissement d'appel ou d'alarme, le cheval lève la tête et ouvre plus ou moins la bouche, ses naseaux se dilatant au passage de l'air. Cette position dégage et ouvre la gorge et permet au son de résonner puissamment.

Sorrel

Bob Langrish

SAVOIR INTERPRÉTER

Par le hennissement, le cheval exprime toute la gamme des émotions qu'il éprouve.

LE CRI D'ALARME

Pour être efficace dans le milieu sauvage, le cri d'alarme d'un animal doit porter loin et être immédiatement reconnu par ses congénères. En même temps, ce cri doit être discontinu et d'un registre varié afin qu'un prédateur éventuel éprouve des difficultés à le situer.

Un cheval qui donne l'alarme pousse une série de cris plutôt brefs qui commencent dans un registre aigu pour aller vers le grave. L'alarme sonne le rassemblement : en cas de danger, l'union fait la force.

COLÈRE ET MENACE

Lorsque les chevaux veulent effrayer et éloigner un congénère – ou un autre animal – ils poussent une sorte de couinement aigu qui ressemble à un cri de colère. C'est,

par exemple, le cri de la jument qui remet à sa place un étalon entreprenant. On entend aussi ces menaces lors de la distribution de grain : les voisins de box se menacent réciproquement par de violents coups de pieds dans les murs et des cris caractéristiques – accompagnés de mimiques expressives.

Dans des circonstances plus dramatiques – le combat de deux étalons –, les cris poussés sont vraiment terribles.

JOIE ET DÉSIR

Lorsque le cheval veut exprimer son plaisir, il émet un hennissement assez bref, plutôt grave, qu'il répète parfois plusieurs fois. On l'entend, par exemple, lorsqu'on lui apporte à manger, lorsqu'on ramène au box un compagnon attendu, mais aussi, si l'on est un heureux propriétaire, lorsqu'on vient voir son cheval, qui manifeste ainsi sa joie.

Joie et désir provoquent un hennissement très similaire, du moins pour nos oreilles humaines.

De mère à poulain

La période de sa vie pendant laquelle le cheval est le plus bavard est sans doute son « enfance » : le poulain communique beaucoup avec sa mère. Cette dernière appelle son petit quand il s'éloigne : c'est le hennissement : « où es-tu ? ». Il peut se nuancer d'une mise en garde ou d'une menace plus ou moins importante, devenant alors « attention », « reviens », « reviens tout de suite », etc. Le poulain lui-même, s'il s'égare, cherche sa mère à grands cris et son désespoir va croissant. Mère et poulain reconnaissent mutuellement leur voix et peuvent exprimer et identifier de nombreuses nuances.

Kit Houghton

Lorsque deux entiers se battent, ils poussent des cris épouvantables, essentiellement destinés à intimider l'adversaire.

Bob Langrish

Si vous vous occupez régulièrement d'un cheval, qu'il soit à vous ou non, il exprimera sans doute discrètement son plaisir lors de votre arrivée par un bref hennissement grave, parfois à peine audible.

Bob Langrish

La journée d'un cheval libre

La journée du cheval libre n'est pas rythmée par l'alternance jour-nuit. Elle se déroule selon un emploi du temps qui peut sembler décousu mais qui respecte une répartition régulière des différentes activités – la principale étant de s'alimenter.

Sorrel

UN RYTHME DIFFÉRENT

Le rythme de vie des chevaux libres n'a rien à voir avec le nôtre. Il faut le connaître pour offrir à nos compagnons des conditions de vie compatibles avec leur nature profonde et leur permettre ainsi d'être bien dans leur peau.

MANGER, MANGER ET MANGER

L'occupation principale du cheval libre consiste à manger. Il y consacre environ 60 % de son temps, soit approximativement 15 à 16 heures par jour. Le cheval est capable de vivre sur des territoires assez pauvres. Il compense la pauvreté de son alimentation par la quantité. N'étant pas un ruminant, il n'a pas besoin de s'arrêter de brouter. Il se comporte donc comme une « tondeuse » infatigable, passant le plus clair de son temps à manger de l'herbe à proximité de ses compagnons.

L'alimentation est d'ailleurs la préoccupation numéro un des chevaux sauvages, immédiatement après la sécurité, bien sûr ! L'une des responsabilités des dominants est de trouver tous les jours des pâtures et de l'eau pour le troupeau.

LE SOMMEIL : PAR PETITS BOUTS

La vie des chevaux libres n'est pas rythmée, comme la nôtre, par l'alternance jour-nuit.

Étant donné leur état de proies menacées par divers grands prédateurs, les équidés ne peuvent pas se permettre de dormir huit heures d'affilée. Ils ne se reposent que par intermittence, piquant un petit somme de temps à autre, aussi bien de jour que de nuit. Sur une période de vingt-quatre heures, les chevaux dorment quatre à six heures environ. C'est bien peu, surtout si on les compare à certains félins, qui passent volontiers seize à dix-huit heures par jour à paresser.

Les chevaux se relaient pour prendre du repos. C'est pour eux le seul moyen de s'abandonner aux rêves sans risquer de se faire croquer par le premier puma venu. Quand on observe un troupeau en liberté dans une pâture, on constate en général que certains animaux se reposent ou dorment profondément tandis que les autres broutent tout en surveillant les alentours.

LES DÉPLACEMENTS

Lorsqu'ils sont en liberté, les chevaux ne broutent jamais longtemps au même endroit. Ils se déplacent lentement, tout en mangeant, dans la pâture qu'ils ont trouvée. Dès que celle-ci est rasée, le troupeau s'achemine vers d'autres herbages, sous la direction de la jument dominante, qui connaît les possibilités de la région. A moins que l'herbage soit traversé par un cours d'eau, les chevaux se déplacent quotidiennement, en file indienne, pour aller s'abreuver.

Pas de programme fixe pour la toilette : on fait en fonction des possibilités offertes par le terrain (poussière, boue, eau) et des nécessités.

Quel que soit leur emploi du temps, les chevaux en liberté ne s'éloignent jamais beaucoup les uns des autres. Tous les déplacements se font en groupe.

Manger : occupation et préoccupation principale, avec la sécurité, des chevaux libres.

NÉCESSITÉ ET LOISIRS

Une fois qu'il a mangé, qu'il a bu, qu'il a dormi, il reste un peu de temps au cheval. Un peu de loisirs en quelque sorte !

LA RÉPARTITION DES OCCUPATIONS

Le cheval consacre 60 % de son temps à se nourrir. Cela signifie qu'il broute de jour comme de nuit, sans être gêné par l'obscurité. Sa seconde activité consiste à se reposer en position debout, sans rien faire. Il passe ainsi environ 20 % de son temps. Il se tient alors souvent à côté d'un compagnon, tête-bêche, chassant l'un pour l'autre les mouches. Le cheval ne passe que 10 % de son temps couché (3,3 % allongé sur le côté et 6,6 %, couché en vache).

Il lui reste donc encore environ 10 % de sa journée, qu'il consacre au déplacement, au jeu, à la toilette (parfois mutuelle) et à la reproduction lorsque c'est la saison.

LA CAPTIVITÉ OU L'ÉQUILIBRE CHAMBOULÉ

La vie que l'homme organise pour le cheval ne reproduit guère cette répartition naturelle des activités.

Les repas de grain n'occupent plus les chevaux que pendant 5 % de leur temps. Ils parviennent à en passer 10 à 40 % en grignotant le foin et la paille. Il manque donc 15 à 20 % pour atteindre les 60 % prévus par la nature. Les chevaux captifs restent souvent 40 à 50 % de leur temps debout, immobiles. Étonnamment, ils n'en profitent pas pour se coucher davantage. Cette dernière activité se limite à 10-15 % de leur temps. Pour leurs « loisirs », ils dépendent de leur maître.

ATTENTION, DANGER !

Un cheval ne se rend jamais seul à un point d'eau : c'est le lieu de guet par excellence pour les prédateurs. Rien de plus vulnérable qu'un cheval qui boit, tête baissée, dos au paysage, plus ou moins bloqué dans sa fuite par le point d'eau.

Bob Langrish

Gros plan

Les chevaux s'étendent de tout leur long (on parle de « décubitus latéral ») pendant environ une heure par jour, répartie en deux ou trois siestes de vingt minutes en moyenne chacune. Ils se couchent également en « vache », c'est-à-dire avec les jambes repliées sous le corps. On les trouve dans cette position, dite « décubitus sternal », environ une à deux heures par jour.

Kit Houghton

La dominance

Le cheval vit en troupeau. Comme toute société, ce troupeau est structuré pour servir l'intérêt de l'espèce, du troupeau et de chacun des individus qui le composent. La nature a prévu une organisation fondée sur la dominance. Mais ce n'est pas le plus fort qui l'emporte, loin de là !

Bob Langrish

UN PARTAGE ÉQUITABLE DES RESPONSABILITÉS

Un dominant est celui dont l'autorité est reconnue. La dominance n'est pas établie pour toujours : elle doit être réaffirmée régulièrement. Dominer est une responsabilité. Les dominants prennent les décisions : la survie des autres dépend d'eux.

L'ÉTALON IMPOSE SA LOI

Le troupeau est constitué d'un seul étalon, de plusieurs juments et de poulains âgés de moins de deux ans. Après deux ans, ces derniers sont chassés du troupeau. Parfois, l'étalon chasse une ou plusieurs juments de son harem. Dans certains cas, il le fait parce qu'elles sont âgées, donc moins bonnes reproductrices. Dans d'autres cas, il semble avoir de bonnes raisons qui nous échappent. Ces femelles écartées sont souvent récupérées par un jeune étalon qui cherche à se constituer un harem. Sur le plan de la gestion du troupeau, dans la nature, l'étalon décide.

RESPECT DES RÈGLES : LE RÔLE DE LA JUMENT

En revanche, le jeune poulain désobéissant n'a pas affaire à l'étalon. Ce dernier ne s'oc-cupe pas non plus de savoir où le troupeau va manger et se désaltérer. L'éducation des jeunes, les règles de vie quotidienne et de survie sont assurées par une jument dominante. Il s'agit en général d'une jument d'un certain âge, expérimentée, qui représente en quelque sorte le « sage » du troupeau.

Bien qu'elle ait pleine autorité, elle passe souvent le relais. Elle est, par exemple, responsable de l'éducation des poulains, mais la surveillance des tout petits est partagée avec les autres mères.

UN LANGAGE CLAIR, SANS VIOLENCE

Pour s'imposer, la jument dominante n'a pas besoin de se battre – tout au plus se contente-t-elle de quelques mimiques menaçantes. On la respecte parce qu'elle rassure et qu'elle protège : elle sait où il faut aller pour se nourrir, boire et dormir en paix ; chaque cheval se sent en sécurité tant qu'il la suit et fait ce qu'elle indique. S'il remet en question l'autorité du dominant, il sait qu'il se met en danger.

La jument impose son autorité naturelle par un langage corporel clair. Si, par exemple,

Il suffit d'un regard et d'une gestuelle adaptée pour tenir ce cheval en respect. En utilisant ces mêmes codes, vous pouvez dresser un cheval sans avoir à user de violence.

elle se place de face, épaules au carré, oreilles droites, naseaux plus ou moins dilatés, gare à celui qu'elle regarde ! Il s'éloigne et se tient à bonne distance. Si elle montre son flanc, baisse la tête, comme pour brouter ou vaquer à ses occupations, tout va bien : on peut s'approcher !

Il suffit à la jument de marcher droit vers le poulain effronté pour le remettre à sa place.

Sorrel

LA HIÉRARCHIE DANS VOTRE PRÉ

L'existence du cheval en captivité ne reproduit pas fidèlement le modèle naturel. On retrouve certaines attitudes de base, mais elles s'appliquent souvent de façon incohérente.

LE PRÉ, CE N'EST PAS LA LIBERTÉ

Les chevaux au pré ne sont pas totalement dans leur environnement naturel. Ils vivent dans de petites surfaces closes, sans pouvoir choisir leurs compagnons. En général, le groupe ne comprend pas d'étalon, mais il peut y avoir des mâles castrés. Les chevaux organisent alors une petite société artificielle, qui ne correspond plus à celle du troupeau libre. Une hiérarchie précise s'installe – qui peut être remise en question lors de l'introduction d'un nouveau compagnon. Les dominants ne sont pas forcément des juments.

UNE DOMINANTE CHEZ SOI

Néanmoins, il se peut que vous ayez une jument dominante. Elle se reconnaît à son attitude générale. Montée, elle est capable du meilleur. Elle est plus difficile à travailler au départ, car elle sait prendre des initiatives et décide de ce qui est bon pour elle. Elle sera excellente sous la selle d'un véritable homme ou femme de cheval, et malheureuse, voire dangereuse, avec un cavalier qui la traitera durement.

Au pré, elle éduque en douceur mais avec fermeté tous les chevaux qu'on lui confie. Elle n'est pas agressive, mais trouve toujours le moyen de s'imposer. Elle n'a pas son pareil pour rassurer le nouveau qui a peur, pour mater celui qui ne craint rien.

A éviter !

Lorsque vous voulez obtenir quelque chose d'un cheval, gardez en tête que la contrainte physique est le langage de celui qui est situé le plus bas dans l'échelle de la hiérarchie. Si le cheval vous classe dans cette catégorie inférieure, il ne vous fera plus confiance. Les problèmes engendrés sont, hélas, bien connus : difficulté à séparer le cheval du troupeau lors d'une promenade, rétivité, défenses diverses, peur injustifiée, etc.

LE COIN DU PRO
Pas de conclusions hâtives

Ce n'est pas parce que votre cheval ne veut marcher qu'en tête du groupe qu'il est dominant. Il y a même de fortes chances pour que ce soit l'inverse : il a peur d'être mangé s'il reste en arrière. Et il ne vous fait pas confiance du tout pour le protéger.

On peut difficilement définir une vraie dominance dans nos prés. Il faut se garder de trop simplifier. Seule une longue observation, notamment dans les moments clés comme la distribution des repas, vous permettra de découvrir quelques comportements types et d'avancer des hypothèses prudentes sur la hiérarchie qui s'est installée dans le petit monde du pré ou de l'écurie.

Voici une jument dominante dans l'attitude caractéristique qui signifie : va-t'en ! Le fautif n'a plus qu'à s'écarter. Il devra demander humblement sa réintégration dans le troupeau.

L'égalité entre deux chevaux n'existe pas : il y en a toujours un qui se situe un peu au-dessus dans la hiérarchie. Cette hiérarchie se devine aisément devant la mangeoire.

L'instinct de survie

On considérait autrefois l'instinct de survie comme une fonction « globale » qui permettait au cheval de subvenir à ses besoins et d'échapper au danger. On sait aujourd'hui que sa survie dépend d'une foule de petits instincts – et de l'apprentissage.

Animals Animals/Sunset

UN INSTINCT COMPOSITE

La notion d'instinct est souvent évoquée pour nier aux chevaux toute forme d'intelligence. Pourtant, l'instinct n'empêche ni l'apprentissage ni le discernement.

UNE NOTION DÉPASSÉE

Il n'y a pas « un » instinct de survie, mais une foule de petits instincts qui, conjugués, font qu'un cheval se comporte comme un cheval et qu'il est, dès la naissance, armé pour affronter la vie. Les scientifiques estiment aujourd'hui qu'il faut renoncer au classement en grands instincts – comme l'instinct de survie ou l'instinct de reproduction. Le comportement des animaux pour se reproduire ou pour survivre n'obéit pas à un vaste programme général, mais plutôt à une foule de petits programmes propres à l'espèce. Il dépend aussi de l'intelligence et l'expérience acquise par l'animal.

DES COMPORTEMENTS INNÉS

La notion d'instinct, trop imprécise, a donc été remplacée par les concepts de « séquence motrice héréditaire » et de « mécanisme inné de déclenchement ». Le premier est un petit morceau de programme héréditaire qui permet au cheval d'effectuer un geste donné, « d'instinct », c'est-à-dire sans qu'il ait besoin de l'apprendre. Le second est un réflexe qui associe une réponse prédéterminée à un stimulus donné. Ainsi, c'est un instinct qui pousse la mère à lécher son nouveau-né ou l'étalon à produire un flehmen pour mieux analyser une odeur qui l'intéresse. Face à un danger, l'animal a également le réflexe de fuir, car il est une proie que la sélection naturelle a rendu instinctivement prudente.

INSTINCT ET INTELLIGENCE

Mais un comportement aussi complexe que la lutte pour la vie ne peut relever d'un seul circuit neuronal. Le cheval possède de naissance de très nombreux circuits qui l'incitent à être méfiant, à s'enfuir en cas de doute, à galoper si nécessaire. Tous ces petits instincts sont modulés et employés par l'animal en fonction de ce qu'il a vécu et appris. Par exemple, il cesse d'avoir peur des chiens s'il en côtoie souvent. Le cheval apprend aussi à se méfier d'une plante qui l'a rendu malade. Une seule expérience négative suffit pour le dégoûter à jamais d'une espèce végétale. Il peut de même apprendre à quelle heure les prédateurs se mettent en chasse et à quelle heure la sieste les rend inoffensifs. La notion d'instinct n'est pas contradictoire avec celle d'adaptation intelligente.

Le cheval peut utiliser son intelligence pour adopter ou non les modules comportementaux propres à son espèce. Selon les circonstances, il décidera de fuir ou de faire face, d'utiliser la ruse ou de se soumettre. Son intelligence lui permet de choisir parmi ses divers instincts celui qui le fera s'adapter le mieux à une situation donnée.

Le saviez-vous ?

L'expérience contre l'instinct

Tout comme nous, le cheval peut, par sa seule volonté, décider de laisser son pied immobile alors qu'un vétérinaire est en train de le piquer avec une seringue. Il existe pourtant bien un réflexe qui prévoit le retrait immédiat du membre en cas de piqûre inopinée. Mais le cortex est capable d'inhiber cette réponse automatique. Pour utiliser ses instincts bien à propos, le cheval a donc tout intérêt à acquérir de l'expérience et à faire de nombreux apprentissages.

D'« instinct », le cheval a plutôt tendance à fuir le chien en qui il voit un prédateur potentiel. Mais il peut apprendre à faire taire son instinct et à côtoyer tranquillement cet animal.

Bob Langrish

BON A SAVOIR

Contrairement à une opinion très répandue, aucun instinct ne protège le cheval contre l'absorption des plantes toxiques. Il doit apprendre auprès de sa mère à distinguer le bon grain de l'ivraie. Naturellement, cet apprentissage se fait dans une région précise. Transporté dans une zone où croît une végétation différente, ou exposé à la tentation de plantes exotiques, le cheval est susceptible de commettre des erreurs fatales. Ainsi, chaque année, des chevaux meurent, par exemple, d'avoir goûté à l'if. Heureusement, tous les végétaux toxiques n'entraînent pas la mort et le cheval peut apprendre à les éviter après en avoir expérimenté les désagréments.

Kit Houghton

Kit Houghton

C'est un réflexe inné qui incite le poulain à se lever peu après la naissance pour chercher les mamelles de la jument.

Pour s'adapter à la vie en box, le cheval doit apprendre à faire taire plusieurs de ses instincts, à commencer par le réflexe de fuite.

Sorrel

DES INSTINCTS QUI N'EXISTENT PAS

Penser que le cheval est toujours protégé par ses instincts est une erreur. Souvent, en effet, ce sont l'expérience et l'apprentissage qui procurent à l'animal les armes qui lui permettent d'affronter la vie avec succès.

LE POUVOIR DU DOMINANT

Un cheval de complet habitué à sauter des obstacles panoramiques et des contrebas est capable de se jeter du haut d'une falaise s'il a confiance dans le cavalier qui lui donne cet ordre. Il ne fait qu'obéir au dominant, auquel il se fie aveuglément, sans qu'un instinct le protège de cette forme de suicide inconscient.

Il n'existe pas non plus de mécanisme héréditaire qui dissuade les équidés de consommer les plantes toxiques. C'est l'apprentissage auprès de la mère qui leur enseigne les distinctions à faire.

FAIRE TAIRE SES INSTINCTS

D'autre part, les réflexes héréditaires du cheval, s'ils sont automatiques, ne sont pas inéluctables. Le cheval possède un certain contrôle sur eux. Il est, par exemple, tout a fait possible de désensibiliser un cheval de manière qu'il ne réponde plus à un stimulus pourtant programmé pour provoquer telle ou telle conduite. Ainsi, les chevaux ont instinctivement peur de l'odeur âcre des fauves. Mais, dans un cirque, ils passent devant la cage des tigres sans broncher. Ils ont appris à « débrancher » le réflexe qui provoquait leur fuite.

L'instinct grégaire

L'instinct grégaire du cheval est très puissant. Il ne se sent bien qu'en compagnie et il est parfois difficile de le séparer de ses congénères. Il faut comprendre cet instinct et savoir l'utiliser, pour maîtriser les résistances et l'anxiété du cheval.

Bob Langrish

UN POUR TOUS, TOUS POUR UN!

Les attitudes révélant l'instinct grégaire des chevaux sont fort nombreuses, qu'il s'agisse d'animaux domestiques ou sauvages. La puissance de cet instinct assure la perpétuation de l'espèce et garantit la sécurité des individus dans le troupeau.

LA PEUR D'ÊTRE SEUL

Lorsque plusieurs chevaux broutent dans un même pré, on peut constater qu'ils ne se tiennent jamais très loin les uns des autres. Si, au cours d'une randonnée, un cavalier doit quitter le groupe – pour aller en reconnaissance, par exemple – sa monture met beaucoup moins d'empressement à quitter ses congénères qu'à les rejoindre. On pourrait citer mille exemples de ce besoin qu'ont les chevaux de se regrouper, de ne pas se trouver seul, quel que soit le lieu.

ASSURER LA FUITE À TEMPS

Pour comprendre l'irrépressible besoin de la compagnie de leurs semblables qu'ont les chevaux, il faut imaginer ce qui est leur unique moyen de défense. En cas d'attaque d'un prédateur – loup, puma, etc. –, le cheval ne dispose ni de griffes ni de cornes. Il doit fuir. Et plus il repère le prédateur rapidement, plus il a de chances de lui échapper : plusieurs paires d'yeux, d'oreilles et de naseaux sont plus efficaces qu'une seule. La vigilance collective est aussi ce qui permet le repos, qui serait sinon impossible. Lorsque les uns dorment ou se reposent, les autres veillent.

CHACUN SES RESPONSABILITÉS

Dans une harde de chevaux sauvages, une jument dominante garantit la sécurité des autres. Les chevaux s'en remettent à elle pour choisir les endroits sûrs, le bon moment pour se déplacer, boire, brouter ou dormir. Une hiérarchie complexe à l'intérieur du troupeau donne à chacun une place selon ses capacités. S'éloigner du troupeau, c'est se priver de l'autorité rassurante du dominant et devoir faire face à des situations difficiles à gérer.

LES PRÉDATEURS

En général, la plupart des prédateurs se gardent bien d'attaquer un troupeau. Ils attendent patiemment qu'un animal imprudent, faible ou malade, s'éloigne du groupe pour l'attaquer. Isolé, le cheval est très vulnérable. Il sait que son salut est dans le groupe et montre donc la plus grande anxiété dès qu'il s'en trouve séparé. D'ailleurs, lorsqu'une jument dominante veut corriger un jeune impertinent, elle le chasse du troupeau. Il ne tarde pas, en général, à montrer des signes de soumission pour qu'on le laisse réintégrer le groupe.

Ces mustangs, dans le Nevada, constituent l'un des derniers troupeaux sauvages.

Bob Langrish

La vigilance collective permet aux chevaux de prendre du repos à tour de rôle.

LE COIN DU PRO
Utiliser l'instinct grégaire, ne pas le contrer

L'instinct grégaire commande des comportements fondamentaux qui permettent au cheval de survivre à l'état sauvage. Même lorsqu'il est tout à fait domestiqué, il ne se débarrasse jamais de ce comportement instinctif. Pour pouvoir le dresser, l'homme doit se placer en compagnon dominant. Si le cheval trouve en lui une autorité rassurante et bienveillante, il lui accordera son respect et s'en remettra aveuglément à lui, se plaçant sous sa protection. Seule cette relation permet de contrer les effets de l'instinct grégaire et d'obtenir d'un cheval qu'il accepte de se séparer de ses compagnons sans s'affoler.

Sorrel

Sorrel

GROS PLAN

Le jeune cheval bai s'étant mal comporté à plusieurs reprises, il se fait chasser du troupeau par la jument dominante (noire). La solitude sera pour lui une source d'anxiété, et il cherchera rapidement à se faire pardonner en montrant des signes de soumission de plus en plus marqués, jusqu'à ce que la jument accepte de le réintégrer.

LE SALUT DANS LA FUITE

En cas de danger, les chevaux en liberté se regroupent et fuient ensemble, sous la direction des dominants.

ALERTE !

Observons un troupeau de chevaux sauvages, comme il en existe dans les déserts américains ou australiens. Il se compose d'un étalon, de dix à quinze juments et de poulains. Tous broutent non loin les uns des autres, sans cesser de surveiller l'horizon (et il ne faut pas oublier que le champ visuel du cheval est presque de 360°). Un danger – vrai ou supposé ! – est repéré par l'un ou l'autre ? L'étalon s'en rend immédiatement compte et en prend la mesure. Dès qu'il le juge menaçant, il lance un ronflement. Toute la harde dresse alors la tête, en alerte, et détale en entendant le mâle émettre un second ronflement. C'est une jument dominante qui dirige cette fuite, tandis que l'étalon assure l'arrière-garde. En mordant les traînards ! Lorsque tout ce petit monde se retrouve sauf, loin du danger, c'est à son instinct grégaire qu'il le doit. Sans les yeux de tous, la surveillance aurait été moins efficace ; sans l'autorité de l'étalon, la fuite aurait sans doute tenu de la débandade ; sans l'expérience de la jument dominante, le terrain permettant de filer grand train n'aurait vraisemblablement pas été trouvé.

Le saviez-vous ?

Un cheval qui se désaltère est très exposé à l'attaque d'un prédateur – celui-ci guette souvent à proximité des points d'eau, sachant combien les proies seront vulnérables lorsqu'elles auront le nez dans l'eau et le dos tourné. Les chevaux sauvages se rendent au point d'eau en groupe, sous la direction de la jument dominante. Certains individus montent la garde tandis que les autres boivent.

Kit Houghton

La notion de territoire

Le cheval, contrairement à l'âne, n'est pas un animal territorial. C'est un vagabond migrateur qui se déplace en fonction de ses besoins alimentaires. Le zèbre de plaine, au comportement très similaire, permet d'imaginer la vie du cheval avant la domestication.

Bob Langrish

LA NOTION DE TERRITOIRE DANS LA NATURE

Les chevaux ne sont pas territoriaux. Les mâles, accompagnés de leur harem, se côtoient donc facilement sur les lieux de pâturage ou aux points d'eau pour former de grands troupeaux. Mais attention, ces gigantesques hardes restent composées de multiples familles bien distinctes.

LE SENS DE LA PROPRIÉTÉ

De très nombreux animaux sont territoriaux. Ils ont un sens aigu de la propriété. Ils interdisent généralement l'accès de leur « propriété privée » aux membres de leur propre espèce et du même sexe. Ainsi le chat mâle est-il prêt à se battre si un autre matou a le culot de venir chasser sur ses terres, car les espèces territoriales ne défendent l'accès de leur parcelle qu'à leurs semblables, et non à tous les animaux.

L'ÂNE EST TERRITORIAL, PAS LE CHEVAL

La notion de territoire implique également la délimitation des frontières du domaine par son propriétaire. Faute de clôtures, les animaux se contentent de laisser des messages visuels et olfactifs à leurs congénères. Ils déposent leurs excréments tout autour de leurs terres ou se frottent contre la végétation pour l'imprégner de leur odeur.
L'âne est typiquement un animal territorial. Les mâles, restent sur leur terres et les défendent contre tous les autres ânes mâles. Ils accueillent, en revanche, les femelles et s'accouplent avec celles qui traversent leur espace vital (si elles sont en chaleur).

UN NOMADE POLYGAME

Les chevaux n'entrent absolument pas dans ce schéma. Ce ne sont pas des animaux territoriaux, contrairement à la plupart des ongulés. Le mâle n'attend pas fermement sur ses terres le passage des juments. Il se déplace avec ses compagnes, sans que rien ne le retienne à la terre. C'est donc un nomade polygame, plutôt qu'un sédentaire solitaire et opportuniste.
Les chevaux vagabondent donc, comme les zèbres de plaine, en grands troupeaux composés de nombreux harems distincts. Ils restent néanmoins le plus souvent dans la même région tant que la nourriture et l'eau abondent. Mais s'ils sont casaniers, c'est par conformisme et non par attachement à leur terrain. On appelle « domaine vital » l'espace au sein duquel se cantonnent les chevaux libres.

MIGRATIONS

En cas de pénurie, les chevaux peuvent migrer vers une autre région plus fertile. Ils utilisent alors toujours les mêmes chemins de transhumance et se rendent dans les mêmes herbages d'une année à l'autre.

LE SAVIEZ-VOUS ?
Nomades, mais casaniers

Dans les Pyrénées, les mérens ou les pottocks sont lâchés dans la montagne sur de vastes territoires. Ils rejoignent souvent tout seuls les mêmes estives que l'année précédente, par la même route de transhumance. Ils passent ensuite l'été au sein du même « domaine vital », ce qui explique que leurs éleveurs ne les perdent pas. Ils couvrent toutefois beaucoup de terrain et il n'est pas toujours facile de les retrouver, même dans le coin de montagne où ils se cantonnent.

Les chevaux libres sont parfois obligés de faire des déplacements importants pour s'abreuver quotidiennement.

LA NOTION DE TERRITOIRE AU PRÉ

Bien que l'homme ait perturbé les structures de la vie sociale des chevaux en castrant la plupart des étalons, on retrouve des vestiges de cette « culture » dans le mode de vie que mènent nos montures au pré. De leur passé de nomades vivant en famille, les chevaux ont gardé une propension étonnante à développer des amitiés.

UN ESPACE RÉDUIT

Les chevaux domestiques ont rarement beaucoup d'espace à leur disposition. Par ailleurs, personne n'ose lâcher plusieurs étalons ensemble dans une même pâture. La vie de nos monture, même au pré, ne ressemble donc que de loin à celle que menaient leurs ancêtres.

Toutefois, on constate que, même sur de petites parcelles, aucun cheval n'accapare une portion du terrain pour son usage exclusif. Les individus dominants chassent parfois leurs subalternes du point d'eau ou du roundball de foin, mais cela n'a aucun rapport avec la notion de propriété privée. Ils entendent juste manger et boire avant leurs inférieurs hiérarchiques.

LES COPAINS D'ABORD

Sur le plan des rapports sociaux, on notera que des paires d'amis se sont constituées au sein du groupe. Les copains sont faciles à reconnaître : ils restent toujours proches les uns des autres et se prodiguent souvent des grattages mutuels.

Au moment de la distribution du repas, on se rendra compte que les rapports amicaux sont indépendants des rapports de dominance. On peut être amis sans être égaux ! Cette faculté à tisser des liens d'amitié est particulière aux chevaux. Ils l'ont sans doute développée grâce à leur vie de famille, non territoriale.

Bob Langrish

Des bornes de crottins

Les étalons ne marquent aucun territoire, mais déposent des crottins le long des pistes qu'ils suivent. Les étalons qui se succèdent sur les même sentiers recouvrent les excréments de leurs prédécesseurs, ce qui finit par constituer de véritables monticules de crottins en bordure du chemin : jusqu'à cinquante centimètres de haut, sur une base de plus d'un mètre !

Sorrel

BON POUR LE MORAL
Les chevaux ont des amis

La grosse différence entre les animaux territoriaux (comme les ânes) et ceux qui ne le sont pas (comme les chevaux) réside dans les rapports sociaux. Chez l'âne, le seul lien très fort qui se développe entre deux individus concerne la mère et son petit. Chez le cheval, au contraire, des liens d'affection étonnants se tissent entre adultes des deux sexes.

ANT/Sunset

Gros plan

Les indices du pré

Si l'on prend la peine d'étudier un pré dans lequel pâturent des chevaux, on peut faire de nombreuses observations. Tout d'abord, on repérera les sentiers par lesquels les animaux se déplacent.

En empruntant toujours le même chemin, ils finissent par dessiner des sentes dépourvues de végétation. On découvrira aussi la zone de roulage, toujours la même, généralement assez poussiéreuse. Enfin, en étant un peu plus attentif, on s'apercevra que les animaux se reposent souvent aux mêmes endroits.

Si les chevaux n'ont pas un grand sens de la propriété, ils savent privilégier le confort dans leurs habitudes…

Le goût du jeu

Le jeu est un signe de vitalité.
Un cheval heureux et en bonne santé conserve longtemps son tempérament joueur.
Un bon dressage doit savoir tirer profit de ce goût du jeu.

LE JEU : UN APPRENTISSAGE

Les propriétaires de chiens ou de chats jouent souvent avec leurs animaux. Bizarrement, peu de cavaliers imaginent que leur cheval a lui aussi besoin de jouer et qu'à travers le jeu, il peut apprendre une multitude de choses !

QU'EST-CE QUE LE JEU ?

Jouer, c'est imiter, faire « comme si », faire « semblant de ». Pour les petits de nombreuses espèces (dont l'homme !), le jeu est le principe même de l'apprentissage. En imitant les adultes, les jeunes acquièrent les comportements qui leur permettront de survivre : reconnaissance du danger, choix des aliments, découverte de l'eau, attitude face à l'ennemi, hygiène, etc.

Le jeu qui consiste à « faire semblant de » est un entraînement à la vie. En jouant, le poulain apprend à se battre, à défendre sa place dans le groupe, à réagir en cas de danger. Il répète tous les gestes dans un contexte où ils n'ont pas de conséquences réelles.

UNE SOUPAPE

Plus tard, le jeu n'a plus la même fonction éducative. Mais il reste important dans la vie de la plupart des espèces. C'est une soupape. Le jeu n'est pas la réalité : il permet donc de se défouler physiquement et psychiquement. C'est une détente qui élimine le stress et dédramatise les situations.

DÉCOUVRIR LA VIE

Le poulain élevé au pré consacre plusieurs heures par jour au jeu. Il imite sa mère et les autres adultes, il se lance dans des courses-poursuites ou des combats fictifs avec les autres poulains. Il prête vie aux objets et mime les postures de défense, de fuite, d'intimidation. On peut ainsi le voir ronfler et se cabrer devant un seau, s'enfuir devant un papier qui vole.

Enfin, le poulain se livre à une exploration systématique de son environnement. Il contourne les objets, les flaire, les pousse du nez ou du pied, les mordille, les retourne. Tous ces jeux sont d'une importance vitale pour son développement.

JEUX D'ÉQUIPE

Les chevaux qui vivent en groupe continuent à jouer. Les jeux collectifs permettent d'oublier momentanément la hiérarchie du groupe. Les chevaux se livrent quotidiennement à des courses-poursuites, à de fausses fuites devant de faux dangers. Ils instaurent aussi des jeux plus complexes, comme essayer à tour de rôle de prendre une place enviée – sur une butte par exemple. Ils se délogent en se mordillant, en se bousculant.

C'EST PAS LA JOIE !

Le cheval qui travaille, hélas, ne joue pratiquement plus. Non pas qu'il n'en éprouve plus le besoin, bien au contraire, mais il n'en a plus la possibilité. Privé d'échanges sociaux avec ses congénères, il vit dans un box qui ne lui offre guère de distraction.

C'est regrettable car le cheval au box subit de nombreuses contraintes et le jeu lui serait particulièrement profitable.

L'expérience a été faite d'installer des jouets dans le box de certains chevaux : jouets en bois à coulisse ou à bascule, individuels ou pour deux. Ils ont été aussitôt beaucoup utilisés. Les chevaux qui en disposaient se montraient plus gais, plus sociables et plus calmes.

Une bonne partie du dressage repose sur le jeu. Si le cheval n'y trouvait pas son compte, il serait impossible de lui apprendre certaines choses.

L'éducation par le jeu
Le poulain joue avec ses compagnons mais aussi avec sa mère. Celle-ci se prête gentiment à la manœuvre et en profite pour lui apprendre les règles : ne pas faire mal pour de vrai, ne pas se mettre en situation dangereuse, ne pas dépasser les limites.

Kit Houghton

POURQUOI JOUER ?

Jouer avec son cheval ou lui permettre de jouer n'est pas une perte de temps, loin de là. Le jeu développe son intelligence, sa capacité d'adaptation et son adresse. Il accroît la complicité entre le cavalier et sa monture. C'est aussi le meilleur remède pour lutter contre le stress et maintenir le moral du cheval au beau fixe.

COMMENT JOUER AVEC SON CHEVAL ?

Lâchez votre cheval en liberté plusieurs fois par semaine (avec des protections). Essayez ensuite d'instaurer des échanges ludiques sous forme d'un apprentissage en liberté : suivre son maître dans toutes les directions en répondant à des indications de la voix, faire la révérence, s'asseoir, s'éloigner de vous et revenir à la demande. Mais faites tout cela en vous amusant : récompensez le cheval, félicitez-le quand il comprend. S'il ne respecte pas la règle, dites-le lui, mais surtout, pas de punitions, c'est un jeu ! Dès que le cheval se désintéresse du jeu, interrompez la séance. La notion de plaisir est fondamentale.

Lorsque les chevaux jouent ensemble en liberté, les coups ne sont pas portés. Néanmoins, si le cheval vit avec ses congénères, il est préférable de le déferrer.

Le coin du pro

Attention à la routine et à l'ennui ! Chaque période de travail au cours d'une séance doit être courte (10 min maximum) et entrecoupée de moments de détente et de récréation. Faites en sorte que la séance de travail ne soit pas une corvée pour le cheval. Il sera ainsi heureux de vous voir et disposé à apprendre !

BON A SAVOIR

Le cheval appréciera d'avoir des jouets pour tromper son ennui. On peut concevoir toutes sortes de hochets, d'objets suspendus, de clochettes, de bâtons basculants ou de pièces de bois coulissantes, qu'il utilisera individuellement ou partagera avec son voisin de box. Il faut naturellement qu'ils soient solides et ne présentent aucun danger pour le cheval.

Qui a dit que le cheval ne sait pas jouer à la balle ?

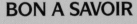

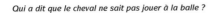

Émotivité et influx nerveux

Le cheval, comme tous les animaux qui, dans la nature, sont des proies, est un animal très émotif. Les émotions qu'il éprouve et celles qu'il a éprouvées dans le passé dictent sa conduite. Pendant le dressage, soyez attentif aux émotions que vous suscitez chez votre monture.

Sorrel

LES ÉMOTIONS

Les émotions participent à la décision et à l'action. Ce sont également des vecteurs de communication entre les animaux et entre les espèces. Elles influencent en permanence le comportement du cheval. Il faut savoir en jouer!

L'ANIMAL RESSENT-IL DES ÉMOTIONS?

Lorsqu'un cavalier évoque les « émotions » de son cheval, il lit souvent un doute dans le regard de son interlocuteur. La capacité des animaux à ressentir des émotions n'est guère admise. Inconsciemment, on attribue à l'homme le monopole des émotions. Pourtant les équidés, comme la plupart des mammifères, éprouvent des émotions qui déterminent leur comportement.

Le saviez-vous ?

Le poulain est très sensible aux émotions de sa mère. C'est ainsi, en associant à chaque expérience l'émotion que sa mère lui communique, qu'il devient capable de bien réagir dans toutes les situations.

LA « COULEUR » DE L'ÉMOTION

Voici quelques-unes des émotions primaires que les chevaux partagent avec nous : la joie et la tristesse, la surprise (la curiosité) et le dégoût, la colère et la peur. Ces émotions pourraient être qualifiées de « positives » ou de « négatives ». Elles suscitent le plaisir ou, au contraire, l'aversion. Chaque expérience que vit le cheval se colore d'une émotion. Si cette dernière est plutôt agréable, l'animal garde un bon souvenir de la situation et est tenté de la reproduire. Si, au contraire, il éprouve une émotion négative, il aura de l'aversion pour l'expérience qui l'a provoquée. Il évitera autant que possible de se retrouver dans la même situation. Si le renouvellement de cette mauvaise expérience lui est imposé, il l'abordera avec réticence, voire en résistant.

LA PART DE L'ÉMOTION DANS LE DRESSAGE

Tous les grands maîtres de l'équitation moderne insistent sur la nécessité d'un marquage positif de la mémoire. Il faut toujours laisser les chevaux sur une bonne impression en les récompensant et en leur accordant un moment de repos après l'exécution correcte d'un nouvel exercice. Toute bagarre, toute punition associent, au contraire, un mauvais souvenir à la situation qui l'a fait naître.

Sorrel

Ne confondez pas « influx nerveux » et nervosité.

Kit Houghton

L'INFLUX NERVEUX

La notion d'influx nerveux renvoie à la manière dont les nerfs véhiculent l'information. Mais, le plus souvent, cette expression, dépouillée de sa signification biologique, désigne la propension du cheval à réagir aux sollicitations du cavalier.

UNE EXPRESSION À OUBLIER

Un bon influx nerveux, au sens biologique du terme, est ce qui permet au cheval de se montrer attentif aux ordres que lui donne son maître et d'y réagir instantanément. Mais on emploie en général cette expression pour parler d'un cheval nerveux, réactif, émotif, qui a tendance à se porter vivement en avant à la moindre sollicitation. Elle

entretient donc une certaine confusion entre obéissance au quart de tour et énervement stérile, entre capacité à réagir vite et émotivité excessive.

ATTENTIF, MAIS PAS NERVEUX

Ne confondez pas, donc, influx nerveux et émotivité. Une monture trop émotive s'énerve facilement. Si c'est le cas, son attention se disperse. L'excès d'émotion génère une certaine confusion dans les réponses que l'animal fait aux demandes du dresseur.

Préférez un cheval placide qui répond au quart de tour, mais dans le calme, à vos injonctions, à un animal plein de feu qui fait tout dans le désordre.

La récompense immédiate (caresse, repos, friandise) associe dans la mémoire du cheval une émotion positive à un exercice ou une attitude. C'est la meilleure arme du dresseur !

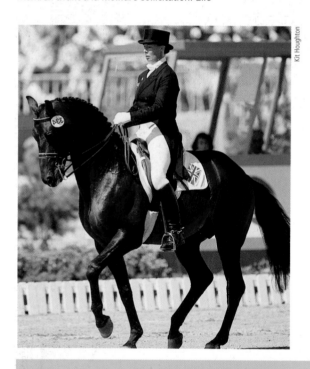

Le coin du pro

Le geste induit l'émotion

Chaque émotion est indissociable des comportements qui lui sont liés. Ainsi, un cheval à qui l'on demande de piaffer pendant plusieurs minutes ne tarde pas à éprouver les sentiments qui, dans la nature, provoquent le piaffer. Autrement dit, il est rapidement excité, même si la demande est faite dans le calme. Ce phénomène est bien connu des acteurs qui finissent par éprouver les sentiments qu'ils miment au point de voir leur pression artérielle ou leur rythme cardiaque s'emballer. Voilà pourquoi il ne faut jamais prolonger les exercices qui s'appuient sur des comportements liés, dans la nature, à des états de forte excitation : passage, piaffer, levade, etc.

GROS PLAN
Surdoués de l'empathie

L'empathie désigne la contagion des émotions. Être doué d'empathie, c'est être capable de percevoir et de ressentir les émotions éprouvées par un autre.

Indéniablement, les émotions sont communicatives. Un cheval qui dresse la tête, l'air inquiet, communique sa peur à tout le groupe. Les équidés sont très sensibles aux émotions des autres. Ils perçoivent avec beaucoup d'acuité, chez les humains, la moindre variation émotive. Le meilleur emblème des qualités d'empathie des chevaux est sans doute Clever Hans, le cheval qui savait compter avec son pied. Cet animal ne possédait, évidemment, aucun don mathématique, mais savait analyser avec énormément de finesse les émotions de son auditoire. Il lisait littéralement la bonne réponse sur le visage des spectateurs au fur et à mesure qu'il s'en approchait.

La toilette naturelle

Le cheval ne nous a pas attendus pour apprendre à maintenir sa peau en bon état. A l'état sauvage, il connaît plusieurs techniques de « toilettage » qui lui permettent de se débarrasser des corps étrangers et des parasites, de soulager démangeaisons et irritations, d'entretenir poils et crins.

Animals Animals/Sunset

LA PEAU, ORGANE DES SENS

La peau est un organe des sens très important pour le cheval. Fortement innervée, elle lui fournit de nombreuses informations sur son environnement et le protège contre les variations de température et les intempéries. Son entretien est donc vital.

LA TOILETTE NATURELLE N'EST PAS UN PANSAGE

Dans notre esprit, une bonne toilette ou un pansage doivent débarrasser les poils et les crins de toute trace de boue, de poussière ou de graisse. Le cheval, lui, se fait une idée bien différente du nettoyage : rien de tel qu'un bon bain de sable ou de terre pour se gratter le dos et chasser peaux mortes, parasites et autres hôtes indésirables. Quant à la graisse, qu'elle reste où elle est : ce suint protecteur imperméabilise le poil et protège le cheval des intempéries. Et un solide cataplasme de boue soulage efficacement démangeaisons et irritations.

DES OUTILS EFFICACES

Pour se frotter, se gratter, retirer les corps étrangers et chasser les parasites, le cheval dispose de plusieurs outils très efficaces : ses lèvres préhensiles, qui attrapent, pincent et massent, sa langue rugueuse qui nettoie, ses incisives qui grattent et frottent peau et poils en profon-

deur. De plus, le large rayon d'action de son encolure flexible lui permet d'atteindre de nombreuses parties de son corps.

AIDE-TOI, LA NATURE T'AIDERA

Il reste néanmoins de nombreuses zones inaccessibles : la base de la queue, le dos, le garrot, l'encolure, la nuque et la tête. Pour gratter, frotter et nettoyer ces parties de son corps, le cheval utilise des supports à la fois solides et rugueux permettant une friction efficace : tronc d'arbre, rocher, buisson épais. Les chevaux en captivité, eux, ont recours à un piquet de clôture, au montant du box et aux murs offrant des angles et des surfaces adaptées au toilettage.

UNE BONNE ROULADE

Enfin, pour se frotter efficacement le dos et la nuque et s'octroyer un agréable massage général, rien de tel qu'une bonne roulade. Les chevaux se roulent fréquemment, avec un plaisir évident. Ils choisissent en général un sol bien sablonneux ou poussiéreux. Les bains de boue sont également très pratiqués. Leurs vertus sur la peau ne sont plus à démontrer, et les chevaux n'ont pas besoin de lire les ouvrages de médecine naturelle : ils le savent d'instinct.

Si l'occasion se présente et que le temps n'est pas trop frais, la plupart des chevaux

apprécient également l'eau : ils y trempent le nez, s'aspergent généreusement en agitant la tête ou les pieds et, parfois, s'y roulent complètement.

Le saviez-vous ?

Les chevaux utilisent parfois leurs sabots postérieurs pour se gratter les oreilles et la nuque. Ils ne font plus ce geste lorsqu'ils sont ferrés – les fers sont à la fois trop durs et peu efficaces. Et, avec l'âge, ils perdent la souplesse nécessaire : il leur faut alors trouver un autre moyen de frictionner ces endroits inaccessibles !

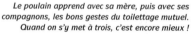

Le poulain apprend avec sa mère, puis avec ses compagnons, les bons gestes du toilettage mutuel. Quand on s'y met à trois, c'est encore mieux !

Bob Langrish

Voilà une terre poussiéreuse idéale pour un brin de toilette : une roulade se prépare !

FLPA/Sunset

LE TOILETTAGE RÉCIPROQUE : UNE QUESTION DE CONFIANCE

Pour procéder à une toilette agréable, satisfaisante et peu fatigante, les chevaux pratiquent volontiers des échanges.

UN « TOILETTEUR » CHOISI

Le cheval s'approche d'un congénère avec lequel il a de bonnes relations et lui fait comprendre son intention en faisant mine de le frotter du nez ou des lèvres. Si l'animal sollicité accepte, les deux chevaux se placent de façon à pouvoir se gratter mutuellement. Laisser un congénère s'approcher ainsi est un signe de confiance. Chaque cheval n'a que quelques partenaires de toilettage. Deux chevaux se toilettant mutuellement sont assez proches. Les séances de nettoyage leur procurent des sensations agréables, renforçant leurs liens et leur confiance réciproque.

Les incisives peu coupantes des chevaux sont idéales pour se gratter le cuir… réciproquement.

UNE TOILETTE ÉDUCATIVE

L'un des premiers gestes de la jument après la mise bas consiste à nettoyer son poulain. Elle s'imprègne ainsi de son odeur, découvre et identifie son corps ; en même temps, elle sèche et nettoie le poil, active la circulation du sang et stimule les muscles en les massant.

Par la suite, la mère continue à toiletter son petit. Et bien sûr, elle lui enseigne les gestes du toilettage réciproque. Ces séances stimulent les sens du poulain et lui apportent plaisir et bien-être, contribuant à son développement et à son épanouissement. Très vite, le poulain explore lui aussi le corps de sa mère. Par les réactions de cette dernière, il apprend à distinguer les bons gestes des mauvais : morsures, pincements, interventions sur des zones sensibles sont aussitôt sanctionnés.

Gros plan

La langue rugueuse des chevaux leur permet d'ôter du poil certaines poussières collantes. Elle décolle aussi, hélas, les œufs ou les larves de certains parasites, qui parviennent ainsi dans leur système digestif !

LE COIN DU PRO

Un tronc d'arbre bien rugueux, un arbre mort, un piquet de clôture peuvent faire d'excellents « grattoirs ». De tels outils sont en général utilisés par l'ensemble des chevaux vivant à proximité, qui y déposent par la même occasion leur marque olfactive. Dans la nature, on peut repérer ces « grattoirs », car ils présentent des dépôts de graisse et de poussière, des poils et parfois des crins, ainsi que des signes d'usure – bien visibles ici.

L'attachement du cheval à l'homme

Il faut se garder de prêter aux animaux des sentiments humains.
Pourtant, tous ceux qui connaissent et aiment les chevaux l'éprouvent un jour ou l'autre :
le cheval semble s'attacher à son maître. De nombreux signes en témoignent… Qu'en penser ?

Bob Langrish

LE CHEVAL A BESOIN DE NOUS !

Un cheval que nous soignons et auquel nous consacrons du temps nous reconnaît. De nombreux signes laissent supposer qu'il est content de nous voir. Entre lui et nous, une relation très riche peut s'établir à condition de ne jamais oublier que le cheval a des besoins... et des facultés propres à son espèce.

Enfants et chevaux font souvent bon ménage. L'enfant n'a pas de vues utilitaires sur le cheval et exprime avec affection son envie de partager avec lui de bons moments. Mais il ne faut jamais laisser un jeune enfant seul avec un cheval.

L'ÉTHOLOGIE : L'ÉTUDE DU COMPORTEMENT ANIMAL

Ces dernières années, la connaissance du cheval a beaucoup évolué. Grâce aux recherches en éthologie, le dressage étho-logique est apparu : il tient compte des besoins physiques et psychiques du cheval. On admet aujourd'hui que le cheval connaît la souffrance physique et mentale et qu'il est capable d'émotions. Il est difficile d'aller plus loin, car rien ne permet de mesurer scientifiquement les sentiments des che-vaux. Pourtant, le cavalier qui aime son che-val et qui lui accorde du temps et de l'at-tention sait qu'il existe entre sa monture et lui une affection particulière.

IL A BESOIN DE PRÉSENCE !

Beaucoup de cavaliers ignorent combien le cheval qui vit au box ou seul au pré a besoin de leur présence. Si l'on compare la vie d'un cheval domestique et celle d'un chien, on comprend combien la relation du cheval avec son maître pourrait être améliorée. Le chien participe à la vie de la maisonnée. On joue avec lui, on le promène. Par la simple cohabitation avec l'homme, il est amené à comprendre de nombreux mots ou associa-tions de mots et à gérer des situations très diverses.

LA RECONNAISSANCE DE L'ESTOMAC ?

Pour les petits des mammifères, la mère nourricière a une importance capitale. Un poulain orphelin nourri au biberon marquera un attachement indéfectible à celui qui l'a élevé. En revanche, un cheval adulte ne donne pas forcément sa préférence à celui qui le nour-rit.

PARTAGER DE BONS MOMENTS

Pour développer de vrais rapports avec un cheval, une heure de monte par jour ne suf-fit pas. De nombreux chevaux apprécient les soins à condition que ces moments se déroulent dans une atmosphère de bien-être et d'échange. Le cavalier a tout intérêt à s'occuper lui-même de son cheval avant et après le travail.

L'IMPORTANCE DU JEU

Le besoin de jouer est presque aussi vital pour le cheval que le besoin de manger ou de courir. Hélas, il est généralement oublié, et le cheval n'a guère pour se satisfaire que le loquet de sa porte et sa pierre à sel.

Rien ne développera une plus grande com-plicité entre vous et votre cheval que des moments ludiques passés ensemble. Pro-menez-le souvent en main, en lui laissant la possibilité de flairer ce qui l'intéresse, de s'en approcher et, si possible, de jouer avec. Laissez-le souvent en liberté au manège ou dans la carrière. Une fois qu'il a satisfait son envie de bouger, essayez de développer des jeux avec lui.

Bon à savoir

Tout seul !
Le cheval passe en général 23 h dans un box avec, pour tout univers, des murs, une mangeoire et une litière. Son cavalier vient le monter une heure par jour et n'a pas tou-jours le temps de procéder lui-même aux soins. Dans ces conditions, l'attachement du cheval à son maître se développe peu – et le maître lui-même ne connaît guère cet animal qu'il utilise.

Quand vous soignez votre cheval, ou que vous venez lui tenir compagnie, laissez-le vous sentir, renifler le matériel, jouer un peu avec une brosse ou un cure-pied, s'intéresser à ce que vous faites et à ce que vous tenez en main. Vous satisferez sa curiosité naturelle et son intelligence, et vous développerez avec lui des relations pleines de confiance et d'affection.

Bob Law/Horse Sniffing Human

LA NOTION DE PLAISIR

Le cheval sera d'autant plus content de vous voir qu'il aura éprouvé de nombreux plaisirs en votre compagnie. Pour que les séances de travail ne deviennent pas une corvée, accordez-lui de nombreuses plages de récréation. Il doit pouvoir marcher librement, brouter un peu, jouer avec l'eau, regarder les autres chevaux.

Variez le travail et modifiez souvent vos itinéraires en extérieur.

LA RÉCIPROQUE EST VRAIE

Vous souhaitez que votre cheval vous connaisse, vous reconnaisse et vous comprenne ? Toute relation se vit à deux ! Essayez vous aussi de découvrir les mille signes qui font son langage. Mesurez ses possibilités et ses limites. Remettez-vous en question souvent. Un cheval attaché à son maître ne demande qu'à lui faire plaisir. S'il refuse d'obéir, c'est peut-être que votre demande n'est pas clairement formulée.

Enfin, quelle que soit l'affection que le cheval semble manifester à votre égard, ne perdez jamais de vue qu'il n'est pas pour autant capable de sentiments humains. Cheval il est, cheval il reste.

Que le cheval soit au pré ou au box, venez le voir aussi souvent que possible. Restez assis près de lui avec un livre ou un jeu, ou allez bavarder avec un ami près de lui. Il appréciera la compagnie.

Kit Houghton

LE COIN DU PRO
Améliorer la confiance et l'intelligence

Ne vous contentez pas de passer à la hâte un coup d'étrille avant de monter. Parlez au cheval, caressez-le, multipliez les occasions d'échange. Vous apprendrez tous les deux à bien vous connaître. Cette compréhension mutuelle retentira sur la qualité du travail et sur la satisfaction que chacun en tirera.

Même quand il est au pré avec ses congénères, un cheval attaché à son maître appréciera sa visite.

130

Comportements vicieux et dangereux

C'est l'homme qui, la plupart du temps, est à l'origine des problèmes que le cheval pose au cavalier. Cet animal sensible et émotif n'oublie jamais ses frayeurs: une erreur survenue lors du dressage provoque souvent un comportement dangereux, qui peut s'installer pour longtemps.

Animals/Sunset

LES LEÇONS DE L'ÉTHOLOGIE

Sauf tare psychique héréditaire ou lésion organique cachée, un cheval difficile est presque toujours un cheval qui souffre ou qui a souffert.

UNE NATURE BRIMÉE

Le cheval est un animal grégaire et nomade: il vit dans une harde qui se déplace sans arrêt. Que lui proposons-nous la plupart du temps ? Une vie solitaire et recluse dans un box, des sorties tout juste quotidiennes. L'isolement et le manque d'exercice suffisent parfois à expliquer un comportement anormalement agressif ou violent.

LE DRESSEUR RESPONSABLE

Bien souvent s'ajoutent à cela des erreurs de dressage graves qui découlent d'une mauvaise connaissance du cheval – entendue au sens éthologique de compréhension des besoins de l'animal. Une éducation fondée sur la force, qui comporte des punitions injustes ou incomprises, provoque très souvent une attitude vicieuse, le cheval cherchant à échapper à une situation insupportable en multipliant les défenses, en utilisant sa propre force à défaut de pouvoir fuir comme le lui intime sa nature.

Toutefois, si la violence est à proscrire, une attitude timide, incertaine et, surtout, incohérente peut également engendrer des défenses dangereuses, le cheval ne respectant plus son dresseur.

UN CERCLE VICIEUX

Le problème devient sérieux lorsque le cheval découvre qu'en adoptant une défense, il peut faire céder son cavalier, faire cesser ce qui l'effraie ou le fait souffrir. Il réitère alors l'expérience et chaque fois qu'il parvient à échapper à la contrainte, sa conviction qu'il peut utiliser sa force pour résister au dresseur se renforce.

Les défenses peuvent se développer à tel point que le cheval refuse systématiquement de faire ce qui lui déplaît et, parfois, se défend dès qu'on lui demande la moindre chose. Le voilà devenu vicieux, voire dangereux.

Le saviez-vous ?

Le cheval comprend vite quand une résistance est efficace et, quand il l'a compris, peut la réutiliser pour échapper aux ordres. Maître une fois, il risque fort d'être tenté de reproduire la défense.

BON A SAVOIR

N'essayez pas de corriger par la coercition une défense installée: mieux vaut essayer de présenter la demande autrement que de recourir à des contraintes de plus en plus grandes. Les enrênements, par exemple, ne font souvent que renforcer l'attitude défensive du cheval – quand ils n'en sont pas la cause.

Bob Langrish

PEUT-ON LE RÉÉDUQUER?

Un cheval qui mord, qui se cabre ou qui prend la main expose le cavalier à des accidents dangereux. Il faut le rééduquer.

QUAND DEVIENT-IL DANGEREUX?

Un cheval est dangereux dès qu'il emploie régulièrement une défense qui expose ceux qui le montent ou le soignent à un accident: il mord, tape, emmène en main, prend la main en extérieur ou en manège, se cabre en main ou monté. Le mot vicieux est plus délicat d'emploi ; on le réserve aux chevaux qui, à l'égard de tous les soigneurs et de tous les cavaliers, se montrent systématiquement agressifs.

CHANGER DE VIE

Si votre cheval vous semble appartenir à cette catégorie, il faut avant tout chercher à améliorer ses conditions de vie: beaucoup de liberté, des contacts quotidiens avec ses congénères, un travail varié, une alimentation qui lui permette de consacrer de longues heures à « brouter ». Cela suffit parfois à modifier considérablement le carac-

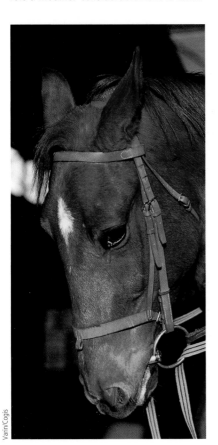

tère de l'animal, au point que les défenses disparaissent presque complètement.

Remettez-vous en question et, surtout, remettez en question les soins, le travail, les harnais employés, l'alimentation.

Gros plan

Des erreurs typiques

Nombre de défenses résultent d'un manque d'attention, d'une erreur de dressage ou d'une réaction inappropriée du cavalier.
• Une sangle trop brutalement serrée peut conditionner à vie un cheval à mordre ou à se coucher chaque fois qu'on le selle; une mauvaise selle qui pince le dos peut apprendre au cheval à partir en sauts-de-mouton dès que le cavalier pèse dessus.
• Des rênes qui bloquent un cheval alarmé risquent de l'inciter à embarquer à la moindre alerte.
• Une main brutale est souvent ce qui conduit un cheval à se pointer.
• Un pansage peu délicat rend le cheval agressif lors des soins.
Citons encore les embarquements faits dans l'urgence, souvent à l'origine d'une peur panique du camion, ou encore un jet trop puissant ou dirigé vers la tête, qui dégoûte définitivement le cheval de la douche.

ATTENTION, DANGER!

Le cheval passe le plus souvent de l'attitude défensive (fuite) à l'attitude offensive (défense) à la suite de mauvais traitements ou de maladresses du dresseur. Manque de confiance et manque de respect donnent lieu à des attitudes dangereuses.

L'AIDE D'UN PROFESSIONNEL

Si les mauvaises habitudes sont installées, un professionnel compétent dans le domaine de l'éthologie pourra peut-être vous aider à rééduquer votre difficile compagnon et à restaurer confiance et respect. Sachez toutefois qu'il ne s'agit pas de remettre votre cheval entre ses mains et de le reprendre « réparé » quelque temps plus tard. Vous devrez participer à la rééducation afin d'apprendre à corriger votre propre comportement et à aborder le travail différemment.

Les défenses sont parfois provoquées par des erreurs de dressage qui ont marqué le poulain pendant ses premiers mois.

L'ennui

*L'ennui est une notion relative. Pour le cheval, l'ennui, c'est rester seul dans son box,
sans rien à manger ni à regarder. Par contre, au pré, avec des copains,
il est heureux même s'il ne fait que brouter.*

Sorrel

DÉPRIMÉ !

Chez le cheval, l'ennui se traduit à la fois par un manque d'entrain vaguement dépressif et par l'apparition de troubles du comportement. Le meilleur remède consiste à lui offrir des conditions de vie plus naturelles.

BROUTER EN COMPAGNIE

Les chevaux en liberté consacrent la majeure partie de leur temps à brouter : quatorze à seize heures par jour. Au cours de cette activité de pâturage, ils se déplacent continuellement. Le nez dans l'herbe, ils parcourent une quinzaine de kilomètres par jour en communiquant constamment. Le sommeil ne les occupe guère plus de quatre à cinq heures. Le reste de leur temps est consacré à des échanges divers (jeu, toilette mutuelle, règlements de compte, etc.).

DE LONGUES HEURES D'ENNUI ET DE SOLITUDE

Pour le cheval en captivité, tout est différent. Au lieu de grignoter à longueur de temps, il reçoit le plus souvent trois repas de granulés qui fondent sur la langue en quelques minutes. Il ne peut déambuler librement et, parfois, on a l'idée saugrenue de remplacer la paille qu'il peut grignoter par de la sciure !

Il n'a pratiquement plus de relations avec ses congénères – finis les « gratouilles » mutuelles, les jeux, les échanges.

Enfin, pour peu qu'on le loge dans une écurie close ou dans un box fermé de grilles, il ne peut même pas se distraire en regardant ce qui se passe autour de lui.

Bref, nombre de chevaux s'ennuient un peu, beaucoup ou terriblement. Cela peut se traduire par un manque d'énergie et d'intérêt, une perte d'appétit ou divers troubles du comportement allant de la simple irritabilité à une agressivité dangereuse en passant par des tics d'écurie.

CHASSEZ L'ENNUI

Pour avoir un compagnon équilibré, il faut lui ménager une vie de cheval agréable et distrayante. Son box doit être spacieux, ouvert sur l'extérieur, sans grilles qui l'empêchent de sortir la tête et muni d'ouvertures latérales qui lui permettent de communiquer avec ses voisins, ne fût-ce que du bout du nez. Donnez-lui une bonne proportion de sa ration quotidienne sous forme de foin (des heures d'occupation !) et laissez-lui une vraie litière de paille.

Brouter, encore brouter et toujours brouter, en bonne compagnie: un remède de cheval contre l'ennui!

Accordez-lui le plus souvent possible (au moins une fois par semaine) quelques heures de liberté au pré ou au paddock, idéalement avec d'autres chevaux. Une fois par an, remettez-le au pré pour une période de plusieurs semaines (avec des compagnons).

Assurez-vous qu'il sort au moins deux heures par jour, que son travail est varié et stimulant et qu'il va en extérieur plusieurs fois par semaine.

On peut proposer un petit compagnon de box, chèvre ou mouton par exemple, à un cheval qui s'ennuie.

STF / Sunset

Kit Houghton

Sorrel

L'aménagement de stabulations libres ou l'accès libre à un paddock, même très petit, fait beaucoup pour le moral du cheval.

L'ENNUI DANS LE TRAVAIL

Les chevaux s'ennuient souvent au box ; il faut donc éviter de leur proposer comme distraction un travail tout aussi ennuyeux.

COMME UN ENFANT

On compare souvent les chevaux à des enfants. Ils se lassent rapidement d'une activité. Pour maintenir éveillé leur intérêt, il faut leur proposer des activités variées et entretenir leur motivation par des exercices récréatifs. Introduisez donc dans chaque séance de travail, et dans le programme d'entraînement lui-même, beaucoup de variété ainsi qu'une part importante de récréation, de récompense et de jeu.

UN APPRENTISSAGE STIMULANT

Un cheval qui ne sort de son box que pour tourner en rond dans le manège ou répéter constamment les mêmes exercices risque fort de devenir neurasthénique. Il faut, au contraire, prévoir des exercices brefs (dix à quinze minutes maximum) et variés. Le secret d'un bon apprentissage, c'est que l'élève garde son appétit d'apprendre. Pour cela, il faut savoir s'arrêter avant que l'animal soit lassé par l'exercice. Rabâcher ne

sert à rien. Mieux vaut récompenser dès que l'animal fait bien et accorder une récréation. En procédant ainsi, on obtient un cheval qui apprend volontiers parce qu'il prend plaisir aux « jeux » distrayants et stimulants que son cavalier lui propose.

Bon pour le moral

Les chevaux d'instruction s'ennuient-ils à tourner en rond dans le manège? Tout dépend des efforts qui sont faits pour préserver leur moral. Ils doivent être logés dans de bonnes conditions, aller souvent en extérieur, ne pas travailler plus de trois à quatre heures par jour, être bien nourris ; enfin, avoir droit à un jour de repos complet par semaine, avec un peu de liberté au pré ou au paddock.

Quand un cheval tique, devient boulimique ou agressif, c'est souvent qu'il souffre d'ennui et/ou de solitude. Hélas, il n'est pas rare que l'on réagisse en mettant une grille à la porte de son box, en lui supprimant sa litière de paille ou en l'isolant. Ce faisant, on accroît encore son ennui et sa solitude, donc sa souffrance et ses troubles. La bonne attitude consiste plutôt à essayer d'offrir une vie plus naturelle à l'animal qui souffre : accès libre à un paddock, davantage d'échanges avec ses compagnons, travail plus varié.

Bob Langrish

Pouvoir sortir librement la tête de son box pour observer ce qui se passe, c'est un minimum.

A éviter

- *La solitude*
- *L'hébergement en stalle*
- *L'hébergement dans un box clos (grille frontale, pas d'ouvertures latérales) ou dans un lieu isolé*
- *Un travail contraignant et routinier*
- *Une litière non « grignotable »*

Kit Houghton

Tics et vices à l'écurie

Le cheval est fait pour vivre au grand air, en liberté et en groupe. Enfermé à longueur de journée à l'écurie, il souffre tant de la solitude, de l'ennui et de l'immobilité qu'il développe parfois des tics pouvant entraîner des conséquences pour sa santé.

Delaborde/Cogis

DES SIGNES MULTIPLES DE NERVOSITÉ

Seul, cloîtré presque en permanence dans son box, le cheval peut être atteint de divers troubles de comportement nerveux appelés tics.

DE MULTIPLES MANIES

Au fil du temps, l'animal psychologiquement atteint peut exprimer son mal de vivre en contractant des tics, attitudes étranges combinées à des mouvements compulsifs. Agité intérieurement, ne pouvant se détendre hors de l'écurie, il peut se mettre à se balancer machinalement (tic de l'ours) ou à avaler de l'air et à éructer (tic proprement dit ou tic à l'air). Il peut aussi appuyer ses incisives sur un support et absorber ainsi de l'air (tic à l'appui).

LE TIC DE L'OURS

L'une des principales stéréotypies demeure le tic de l'ours. A force de trépigner par manque d'activité et de liberté, le cheval stressé qui se morfond dans son box transforme progressivement ses mouvements d'impatience en mauvaises habitudes. Il se met à balancer continuellement l'encolure, allant d'un antérieur à l'autre. Cela le fatigue, l'abrutit, abîme ses membres et parfois son dos, ce qui porte atteinte à la qualité de son travail, voire à ses résultats sportifs.

LE MEILLEUR REMÈDE

Le premier antidote efficace contre les manies, celui qui permet d'effacer le stress et l'ennui, c'est la distraction. Quel que soit le temps ou vos préoccupations, vous devez absolument rendre visite quotidiennement à votre monture, lui procurer soins et attentions. Sortez-le tous les jours en manège et, surtout, à l'extérieur. Enfin, il faut absolument lui accorder un peu de liberté, au minimum dans un paddock assez grand pour qu'il puisse s'ébattre, idéalement au pré avec des compagnons bien choisis.

PARER AU TIC ACQUIS

Un tic acquis ne disparaît pas forcément, même quand on modifie les conditions de vie d'un cheval. Ainsi, votre monture peut se remettre à tiquer dès qu'elle est de retour dans son box, l'habitude étant désormais forte. Pour empêcher le balancement et ses conséquences, posez une barre centrale verticale sur la porte de son box, ou bien achetez une grille en V – mais, attention, en réduisant encore la liberté de l'animal, ce type de remède augmente le stress qui est à l'origine du mal.

Le saviez-vous ?

Les chevaux enfermés au box peuvent développer divers comportements anormaux: tourner sans arrêt dans leur box, encenser constamment, ronger le bois. Les principaux responsables sont la solitude, le manque d'activité et l'ennui.

Le collier anti-tic, très inconfortable, n'est efficace qu'un temps. Le cheval apprend vite à tiquer malgré cet accessoire douloureux.

DES TICS LÉGERS AUX VICES SÉRIEUX

Il existe maintes formes de tics. Ces habitudes bénignes du cheval vivant à l'écurie peuvent devenir des vices rédhibitoires parfois extrêmement graves.

LE TIC PROPREMENT DIT OU TIC À L'AIR

Ce tic fait partie des vices rédhibitoires qui peuvent faire annuler une vente. Il se manifeste sous différentes formes.

L'animal peut simplement avaler de façon répétée un peu d'air, en émettant ou non un bruit de rot, parfois après des gestes répétitifs: mâchonner, se lécher les lèvres, avancer ou balancer la tête.

Il peut également prendre appui avec ses dents sur un objet – porte, mangeoire, etc., – d'où le nom de tic à l'appui.

Cette mauvaise habitude fait gonfler le ventre et provoque des troubles digestifs plus ou moins graves qui peuvent aller jusqu'aux coliques. L'usure précoce des dents entraînée par l'appui est cause de mastication imparfaite, laquelle entraîne des problèmes digestifs et alimentaires qui.

DES REMÈDES?

Mieux vaut prévenir que guérir en donnant au cheval une vie aussi proche que possible de ce dont il a besoin – compagnie, espace, mouvement, liberté. Si le cheval a développé un tic à l'air, évitez d'aggraver le problème en grillageant sa porte. Essayez d'abord de l'en dissuader en enduisant la porte de son box (dont le rebord sera recouvert d'une feuille de zinc) d'un produit spécial très amer. Le collier anti-tic, qui comprime les muscles de son encolure et de son œsophage, dissuade le cheval dans un premier temps mais perd très vite de son efficacité. En outre, il est très inconfortable.

Kit Houghton

Attention, danger !

A force de tiquer à l'appui, le cheval peut devenir incapable de brouter, ses incisives n'étant plus jointives. Il ne peut donc se nourrir correctement au pré, ce qui oblige à lui donner des compléments.

Le tic proprement dit est un trouble du comportement très profond, qui a toujours pour origine la claustration. Une fois acquis, il est difficile à supprimer et certains chevaux continuent à tiquer même lorsqu'ils sont au pré.

Kit Houghton

Les capacités d'apprentissage

Le cheval possède une étonnante capacité à apprendre.
Il ne faut donc pas hésiter à le stimuler en lui proposant régulièrement de nouveaux exercices.
Il les retiendra facilement si vous savez capter son attention et… ne pas le décourager.

Sorrel

MÉMOIRE ET ATTENTION

C'est sans doute grâce à leur mémoire phénoménale que les chevaux peuvent apprendre tant de choses. Ils n'oublient ni les bonnes ni les mauvaises expériences.

LA MÉMOIRE

Les chevaux possèdent une mémoire étonnante. «Ils impriment tout et n'effacent rien» dit Alexis Gruss en utilisant le langage informatique. Il faut donc apprendre à tirer parti de cette mémoire, mais aussi à s'en méfier.

Chaque souvenir est teinté d'une « couleur » émotionnelle. Le cheval se souvient que tel exercice lui a fait peur, que tel autre a engendré une bagarre ou encore qu'un troisième s'est terminé sur une note agréable. Autrement dit, il associe à chaque situation vécue une émotion, positive ou négative. Si le souvenir est agréable, il retient bien l'exercice et sera enchanté de le refaire. Si, au contraire, sa mémoire s'est fixée sur quelque chose de désagréable, non seulement il l'apprendra plus difficilement, mais il rechignera à revivre la même expérience. Voilà pourquoi il est essentiel de le caresser et de lui accorder une récréation après chaque nouvel exercice correctement ébauché. Ainsi, l'apprentissage récent est perçu comme agréable; le cheval y revient volontiers et progresse vite. Les cavaliers qui sont trop exigeants, qui veulent aller trop vite et emploient la contrainte démobilisent leur cheval et inhibent ses capacités d'apprentissage.

Kit Houghton

Le saviez-vous ?

L'imitation

Les chevaux apprennent beaucoup par imitation. Il est toujours bon de leur permettre de s'inspirer d'un maître d'école, c'est-à-dire d'un cheval âgé qui leur donnera le bon exemple. On emmène ainsi le jeune cheval en extérieur avec un « vieux sage » qui lui sert de modèle.

Bob Langrish

Le travail aux longues rênes permet de bien mobiliser l'attention du cheval.

L'ATTENTION

Pour qu'un cheval travaille bien, il est essentiel de capter son attention. Dès que cette attention se relâche, vous perdez votre temps si vous continuez à essayer de faire entrer quelque chose dans la tête de votre compagnon. Accordez une récréation et reprenez le travail ensuite.

Les chevaux sont comme les écoliers. Plus ils sont jeunes et moins ils sont capables de fixer leur attention longtemps. Les séances de travail doivent donc toujours être très courtes et entrecoupées de pauses qui permettent à « l'élève » de se détendre.

Les cavaliers qui travaillent leur cheval pendant des heures ne font que le dégoûter. De plus, ils sont régulièrement obligés de se battre avec lui pour tenter de capter son attention pendant les séances-marathon. Peu à peu, le cheval se met à redouter le travail, trop contraignant, et, même, la simple arrivée du cavalier. Le résultat est une progression médiocre, voire nulle, surtout si on la compare à celle qu'on obtient si on se contente de 15 à 20 minutes par jour de travail soutenu exécuté par petites périodes n'excédant pas quelques minutes.

Bob Langrish

Le coin du pro

Les chevaux sont capables d'apprendre à apprendre. Autrement dit, plus un cheval est stimulé, plus son maître lui enseigne de petits tours, plus il est sollicité pour des exercices différents et plus il devient «intelligent». C'est une sorte de gymnastique : en apprenant, on devient de plus en plus capable d'apprendre. Il est donc essentiel de fournir à nos montures un milieu et un mode de vie stimulants. La routine et l'ennui, tout comme la peur, inhibent les capacités d'apprentissage.

DÉVELOPPER LES CAPACITÉS

Il y a mille façons d'apprendre les choses à son cheval : chaque leçon lui « apprend à apprendre ». Beaucoup de cavaliers sous-estiment les facultés de compréhension de leur compagnon.

RENFORCEMENT POSITIF

Le réflexe de Pavlov, ou réflexe conditionné, est la plus primitive et la moins fructueuse des méthodes d'apprentissage.

Le conditionnement par renforcement positif est déjà plus intéressant. Il consiste à favoriser l'adoption d'un comportement en attribuant à l'animal une gratification immédiate. Ce peut être une friandise, mais aussi une caresse, des félicitations, une récréation, le relâchement d'une tension. Ce qui importe, c'est que la gratification survienne en même temps que la réalisation de l'exercice ou dans les deux secondes qui suivent. Le renforcement négatif existe aussi, mais il est moins efficace. Son principe consiste à dissuader le cheval d'adopter une attitude donnée en lui faisant immédiatement ressentir un stimulus désagréable: réprobation, poursuite de l'exercice ou encore rappel à l'ordre.

BON POUR LE MORAL

En apprentissage comme à table, l'appétit est fondamental. Pour bien absorber les aliments et bien les assimiler, il faut manger avec appétit, juste à sa faim, en prenant le temps de bien mastiquer chaque bouchée sans prolonger le repas au-delà de vingt minutes. Un enfant que l'on force à manger en vient rapidement à considérer les repas comme une corvée et la nourriture comme une punition. Alors qu'il est si agréable de se jeter sur le contenu de son assiette avec un appétit dévorant! Faites le parallèle...

Bon à savoir

Le poulain apprend beaucoup avec sa mère, qui l'éduque et qu'il imite. La bonne éducation et le tempérament de la jument rejaillissent beaucoup sur les capacités d'apprentissage du poulain. Il est très utile de manipuler souvent la mère, de la faire travailler un peu en présence du poulain (longe, balade, marche, petits numéros faciles). Ainsi, le poulain lui-même peut commencer son apprentissage de bonne heure... dans la joie et la bonne humeur !

Sorrel

Le cheval comprend-il notre langage ?

A cette question, presque tous les cavaliers et amis des chevaux répondront spontanément : oui. Ils en reçoivent quotidiennement de multiples preuves. Mais comprend-il vraiment le langage verbal ou reçoit-il les mots comme de simples signaux ?

IL Y A LANGAGE ET LANGAGE

Les animaux communiquent entre eux au moyen d'un langage, mais cela n'a rien à voir avec le langage verbal, spécifique à l'espèce humaine.

LE LANGAGE SOCIAL DES ANIMAUX

Tous les animaux possèdent un langage social plus ou moins complexe. Il consiste en une série de signaux qui leur permettent de se communiquer certaines informations. Dans l'état actuel des connaissances, on pense que ce langage social est fait de simples signaux, qui revêtent toujours le même sens. Ils peuvent être juxtaposés, mais cela ne modifie pas leur sens: ils ne sont pas interactifs. Le langage verbal des hommes, lui, est fait de signaux dont le sens peut considérablement changer selon le contexte et selon la façon dont il interagit avec celui des autres signaux. Dans « Je monte à cheval » et « C'est mon cheval de bataille », le mot « cheval » n'a pas du tout le même sens.

LES MOTS SONT DES SIGNAUX

Le cheval, grâce à la finesse de son ouïe et à sa bonne mémoire, est capable de comprendre le sens de certains de nos mots, qu'il interprète comme des signaux sonores: de même qu'il identifie le bruit de la brouette de granulés comme le signal d'un repas imminent, il peut identifier le mot «carotte» comme le signal d'une récompense à venir. La simple récurrence d'un même mot associé à un même objet ou à une même action lui permet ainsi d'acquérir un vocabulaire assez riche: jusqu'à 150 mots et plus.

FAIRE DES COMBINAISONS

Mais le cheval est également capable de comprendre des combinaisons de mots pourvu que chacun des mots qui constituent la combinaison se rapporte pour lui à une réalité concrète qu'il a pu expérimenter. Il peut, par exemple, apprendre «trotte» et «doucement», puis comprendre «trotte doucement». D'une certaine manière, il est donc capable de comprendre notre langage puisqu'il est à même d'appréhender une modification du sens d'un signal par un autre

LE BON GESTE

L'acquisition du langage social commence dès les premiers jours. En même temps qu'il apprend à communiquer avec les siens, le poulain peut apprendre à communiquer avec vous. Si vous avez la chance d'élever votre propre poulain, efforcez-vous dès le début de vous montrer cohérent et d'employer toujours les mêmes mots pour désigner les mêmes actions et les mêmes objets. Cet effort portera ses fruits plus tard.

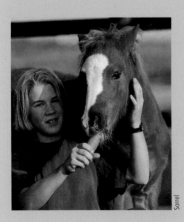

Si vous voulez que votre cheval apprenne à comprendre votre langage ou, tout au moins, certains des signaux que vous émettez, il est très utile que, de votre côté, vous appreniez à « parler cheval » pour savoir « entendre » ce qu'il vous « dit ».

signal. Mais, en aucun cas, il ne peut faire de déductions: il ne comprend que par l'expérience. Si un signal peut être nuancé par un second signal, il garde toujours un même et unique sens.

COMMUNIQUER AVEC LE CHEVAL

Le cheval comprend-il notre langage? Pas vraiment. Mais nous pouvons utiliser notre langage pour communiquer avec lui si nous apprenons à «parler cheval».

BON A SAVOIR

Le cheval comprend très vite le sens de certains mots récurrents comme « non ». Il en distingue aussi assez bien les différentes nuances. S'il constate, par exemple, que la désobéissance au « non » n'est pas systématiquement contrée, il tentera de faire le tri entre un « non » définitif et un « non » un peu mou, qui lui laisse une certaine marge de manœuvre ; pour cela, il décodera à la fois le mot et tous les signaux qui l'accompagnent : ton, fermeté de la voix, attitude corporelle, etc. A vous de lui enseigner que « non » a une valeur absolue: faites toujours suivre cette interdiction, s'il désobéit, d'une intervention ferme.

C'est lors du travail à pied que votre cheval acquerra une bonne partie de son vocabulaire.

DE MULTIPLES SIGNAUX

Pour le cheval, tous les signaux que nous émettons ont la même valeur: les gestes, la posture, les déplacements, l'expression, la voix. Nous n'en sommes pas toujours conscients car notre mode de communication habituel est le langage verbal. Mais, quand nous nous adressons à lui, nous devons apprendre à « parler cheval » tout comme il apprend à « parler humain ». Aussi faut-il surveiller tous les signaux que nous émettons en sa présence.

UN OUTIL D'APPRENTISSAGE

Si l'on prend la peine de lui en enseigner patiemment le sens, le cheval est capable d'enregistrer un grand nombre de mots et

de comprendre le sens de certaines associations. C'est, évidemment, d'une utilité considérable pour le dresseur. Il faut aller du simple au compliqué, récompenser les bonnes réponses et toujours s'assurer qu'il a vraiment compris avant de considérer qu'un mot est acquis.

Surtout, n'oubliez pas qu'un mot doit toujours avoir le même sens. Évitez d'employer des termes se prononçant à peu près de la même façon et apprenez à guetter les bonnes occasions d'enseigner de nouveaux mots à votre cheval.

Gros plan

Pour communiquer entre eux, les chevaux utilisent un langage social fait de multiples signaux qu'ils peuvent juxtaposer. Un signal agressif (ci-contre), peut être nuancé par la position des oreilles, l'orientation de la tête, l'attitude corporelle, et n'être qu'une simple remise en place, une menace ou le prélude à une véritable agression.

Le plaisir

*Comme nous, le cheval est capable de ressentir le plaisir, de l'apprécier,
de le rechercher et de le provoquer quand il en a compris l'origine.*

Bob Langrish

LE PLAISIR DES SENS

Chez le cheval, le plaisir passe avant tout par l'apaisement des besoins et par les sensations. Mais, avec l'apprentissage, la gamme de ses plaisirs peut s'étendre.

LE GOÛT

La simple satisfaction d'un besoin – la faim ou la soif – suffit à procurer un sentiment de bien-être intense qui appartient incontestablement à la famille des plaisirs. Une fois le besoin satisfait, la saveur des aliments permet d'accroître encore le plaisir: c'est alors qu'apparaît la gourmandise.

UN CONSOMMATEUR AVISÉ

Dans la nature, le cheval n'a pas souvent l'occasion de se montrer gourmand : il doit avant tout s'efforcer de donner à son corps ce dont il a besoin et, en particulier, de satisfaire sa faim. Un cheval au pré se comporte en gourmet avisé. Quand il tombe sur du trèfle, il l'attaque à belles dents, mais s'en détourne sans en abuser. Il trie avec ses lèvres une herbe ou une autre, délaissant certaines plantes peu digestes ou toxiques. Bref, il choisit sa nourriture selon son goût – c'est-à-dire selon ce que son instinct et l'exemple de sa mère lui ont appris.

BON POUR LE MORAL
La sécurité, synonyme de plaisir

Le cheval est une proie : c'est donc un animal inquiet, toujours sur le qui-vive. Dans la nature, il n'a guère l'occasion de se laisser aller. Pour lui, ce qui rassure apporte du bien-être: la présence de la mère pour le poulain, l'arrivée des congénères pour le cheval isolé, la venue du maître dominant et bienveillant pour le cheval domestique. Il est difficile d'affirmer que les chevaux font preuve d'affection au sens où nous l'entendons. En revanche, il est certain qu'une présence familière et rassurante leur procure du plaisir. Elle devient donc rapidement attendue et son absence peut être ressentie désagréablement.

Se gratter le dos ou, mieux encore, se le faire gratter : une source de plaisir manifeste !

Bob Langrish

Lacz/Sunset

LA GOURMANDISE

Lorsqu'il est nourri et logé, c'est-à-dire lorsque son corps est satisfait, le cheval développe parfois une véritable prédilection pour les plaisirs de la gourmandise. La carotte ou le sucre donnés en récompense – et donc associés à un moment positif – lui procurent un plaisir dont il peut devenir avide.

L'ODORAT

L'odorat est intimement lié au goût. Le cheval utilise ensemble son nez et sa bouche aussi bien pour distinguer la saveur d'un aliment que pour analyser une odeur. Les odeurs en elles-mêmes procurent sans doute du plaisir au cheval, notamment quand elles sont associées à une autre sensation : odeur prometteuse du foin ou de l'herbe, odeur rassurante de la mère ou du maître bienveillant, etc. Il est toutefois plus facile de repérer la gêne manifeste que suscitent les odeurs désagréables – nos parfums, par exemple !

BON A SAVOIR

La curiosité semble être un trait commun à bien des mammifères, et le cheval n'y échappe pas. A l'origine, elle correspond à la nécessité d'explorer un territoire afin de s'assurer qu'il ne présente pas de danger. Elle fait partie du «kit de survie» du cheval. Il est difficile de déterminer si la curiosité procure en soi du plaisir, mais il est clair qu'un cheval chez qui elle n'est pas stimulée s'ennuie et dépérit. Cette qualité est évidemment une des clés de l'éducation. Pour la maintenir en éveil, il faut procurer au cheval un mode de vie actif, qui alimente sa curiosité et stimule son intérêt.

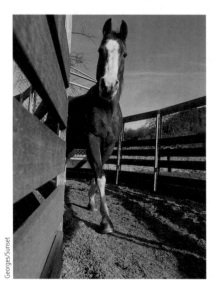

Georges/Sunset

LE TOUCHER

Le toucher, c'est certain, apporte une multitude de sensations agréables au cheval. Du simple soulagement d'une démangeaison ou d'une irritation à la sensation délicieuse apportée par des caresses appropriées, les équidés en connaissent un rayon en la matière. Leur peau richement innervée et sensible leur permet de profiter au maximum des plaisirs du toucher.

LE PLAISIR, MOTEUR DE L'ÉDUCATION

Le renforcement positif est la meilleure façon de marquer la mémoire d'un cheval. Il n'oublie pas le plaisir qui accompagne l'obéissance : au cavalier de savoir utiliser cette corde sensible pour éduquer son cheval dans la joie.

Bob Langrish

Kit Houghton

Le simple assouvissement des besoins fondamentaux – boire, manger, se reposer – apporte au cheval un plaisir qu'il apprécie toujours à sa juste valeur.

LA RÉCOMPENSE

Le principe même de la récompense repose sur la notion de plaisir. Ne vous en tenez pas à la carotte ou à la caresse. La simple récréation, parce qu'elle apporte du repos, est une récompense. L'approbation exprimée d'une voix douce apporte une sensation agréable parce qu'elle rassure et apaise. Mais le plaisir, c'est aussi l'interruption d'une contrainte ou d'une sensation désagréable.

TRAVAIL ET PLAISIR

Un cheval musclé possède un corps athlétique. Il goûte les plaisirs qu'apportent une bonne galopade, un saut, un talus qu'on franchit, un trot vif dans la campagne… et parfois quelques bonnes ruades ! Bref, le cheval exprime sa vitalité et en éprouve de la joie. En cela, le travail que lui impose le cavalier, s'il est bien mené, est source de plaisir. Mais le cheval est manifestement capable d'apprécier aussi les joies plus subtiles de l'apprentissage, qui le stimule, exploite sa curiosité et son goût du jeu.

LE COIN DU PRO
Le goût du jeu

Chez la plupart des mammifères, le jeu a une fonction d'apprentissage. En imitant les situations réelles dans des circonstances où il n'y a pas de danger, les jeunes animaux apprennent les comportements essentiels à leur survie. Par la suite, le jeu permet de «réactiver» ces comportements. Il procure manifestement joie et plaisir au cheval tout en lui permettant d'exprimer sa vitalité et semble nécessaire à son équilibre psychologique. Le jeu est à la base de tout apprentissage bien conçu.

Réflexes conditionnés, réflexes acquis

Chez le cheval, les différentes formes d'apprentissage reposent tantôt sur l'existence de boucles réflexes nerveuses, tantôt sur des processus plus complexes mais aussi plus riches de possibilités.

Sorrel

DE L'ARC RÉFLEXE AU RÉFLEXE CONDITIONNÉ

A cause d'une dénomination trompeuse, les cavaliers confondent souvent les réflexes purs, ceux avec lesquels on naît, et les réflexes conditionnés, qui relèvent de l'apprentissage.

L'ARC RÉFLEXE

L'arc réflexe c'est le trajet que suit l'influx nerveux qui parcourt une boucle nerveuse mise en place dès la naissance et qui comporte un nerf sensitif, un nerf moteur et, au milieu, un centre de régulation. Ainsi, si l'on donne un coup sur un tendon, le nerf sensitif enregistre une tension et déclenche automatiquement, et sans que le sujet en ait conscience, une contraction du muscle correspondant à ce tendon.

Il existe des circuits réflexes plus complexes, dont le fonctionnement est à peu près similaire. Par exemple, si on place de la nourriture sur la langue, on salive par réflexe. On n'y peut rien. C'est automatique.

LE RÉFLEXE CONDITIONNÉ

Le réflexe conditionné (découvert par Pavlov) fonctionne un peu de la même façon. Il s'appuie toujours sur un réflexe inné. Simplement, l'animal apprend à répondre non plus à l'apparition du stimulus naturel, mais à un nouveau stimulus. Pour qu'un réflexe conditionné se mette en place, il est impératif que le nouveau stimulus survienne de manière répétitive (au moins 30 répétitions), juste avant le stimulus naturel. Ainsi, si les chevaux entendent toujours le bruit de la brouette de granulés immédiatement avant de recevoir leur ration, ils se mettront à saliver à la seule audition du bruit. Si on décidait d'allumer un lumière rouge dans leur box juste avant de les nourrir, il en serait de même. Un nouveau facteur déclenchant du réflexe a été acquis. Comme cette acquisition est inconsciente, les chevaux ne peuvent en aucune manière s'opposer à leur instauration. Ce mode d'apprentissage est toutefois limité, car il doit toujours s'appuyer sur un arc réflexe existant.

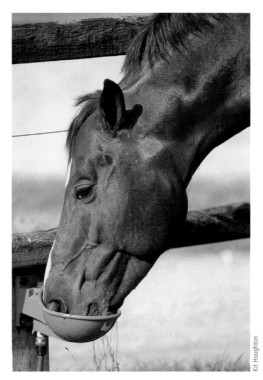

L'apprentissage de l'abreuvoir automatique repose sur le renforcement positif.

Désensibiliser un cheval consiste à «débrancher» certains réflexes. C'est un travail de longue haleine.

L'HABITUATION OU DÉSENSIBILISATION

Cette forme d'apprentissage permet de «débrancher» un arc réflexe ou une réaction plus complexe. Ainsi, si on fait un mouvement brusque vers l'œil du cheval, il ferme les paupières et marque un brusque mouvement de recul. Si on répète ce geste un très grand nombre de fois, le cheval réagit de moins en moins violemment. Petit à petit, il ne reculera plus, puis ne lèvera plus la tête et, à la fin, ne fermera même plus l'œil. Mais si, une seule fois, le cheval reçoit un petit coup de la part de son maître, le réflexe reviendra immédiatement.

LE CONDITIONNEMENT OPÉRANT

Plus intelligent et plus prometteur que l'apprentissage par réflexe conditionné, l'apprentissage par conditionnement opérant (dit « de Skinner ») permet un dressage plus efficace.

CONDITIONNEMENT POSITIF

Cette forme d'apprentissage ne repose sur aucun arc réflexe, et permet donc un enseignement plus riche et plus complexe. Comment ça marche ? C'est très simple. Imaginons un cheval enfermé pour la première fois dans un box. Il a très soif, mais il n'a jamais utilisé un abreuvoir automatique. En explorant son nouveau domaine, il est attiré par le peu de liquide qui reste au fond de l'abreuvoir. Par hasard, il appuie du bout du nez sur la languette et déclenche l'arrivée de l'eau dans la cuvette. Le bruit l'effraie, mais il est immédiatement récompensé par la possibilité de se désaltérer. S'il a encore soif, le cheval reviendra

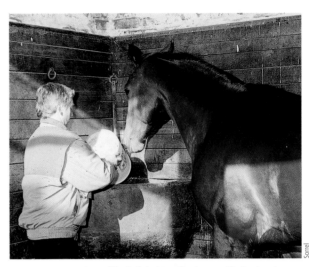

Au seul bruit de la brouette de granulés, le cheval salive: c'est un réflexe conditionné.

vers l'abreuvoir et obtiendra de l'eau à chaque fois. Très rapidement, il appuiera volontairement sur la languette de l'abreuvoir pour avoir de l'eau. Le cheval a ainsi été conditionné grâce à un conditionnement positif (la récompense de l'eau) à chaque essai.

CONDITIONNEMENT NÉGATIF

Il est également possible de conditionner les chevaux à l'aide de renforcements négatifs. Au lieu de donner une récompense au cheval dès qu'il fait ce que l'on attend de lui, on peut lui appliquer un stimulus désagréable (il ne doit pas s'agir d'une punition) chaque fois qu'il fait quelque chose d'interdit. Par exemple, il recevra une petite décharge électrique dès qu'il met le nez sur une clôture. Toutefois, il faut savoir que l'apprentissage par conditionnement positif est infiniment plus efficace que l'apprentissage par conditionnement négatif.

Bon pour le moral

Les émotions influencent l'apprentissage
Pour qu'un cheval apprenne vite, il faut éviter de le lasser par un travail trop long et, surtout, récompenser et accorder une récréation dès qu'il a bien fait quelque chose. Un cheval mémorise d'autant mieux une leçon qu'elle s'accompagne d'une impression positive. Lorsque, quelques jours plus tard, on revient sur l'exercice, il l'aborde avec plaisir et bonne volonté. On sera surpris des progrès qu'il aura faits pendant la période de repos.

LE SAVIEZ-VOUS?
Les coordinations motrices héréditaires

C'est ainsi qu'on appelle aujourd'hui ce que recouvre, dans le langage courant, le mot « instinct ». Les chercheurs se sont en effet rendu compte qu'il n'existait pas de grands instincts, comme l'instinct de survie ou l'instinct de reproduction, mais une foule de petits instincts, beaucoup plus élémentaires. Les chevaux, tout comme les hommes, naissent avec un grand nombre de ces « réflexes comportementaux ». Si tous les chevaux se comportent un peu de la même manière, c'est parce que leurs gènes codent une multitude de petits programmes (des sortes de « softwares ») qui sont communs à l'espèce. La multiplication de ces programmes et la possibilité de les combiner est une source de liberté; une source d'intelligence aussi puisque chaque animal peut choisir une combinaison de comportements différente pour chaque situation.

Le langage du cheval

*Le cheval dispose-t-il d'une forme de langage? Ce n'est pas sûr.
Ce qui est sûr, c'est que c'est un être communiquant qui sait parfaitement
faire connaître son humeur et son état d'esprit à son entourage.*

Bob Langrish

LE LANGAGE

Il y a langage et langage. Selon la définition que l'on donne à ce mot, les chevaux ont ou n'ont pas une forme de langage.

QU'EST-CE QUE LE LANGAGE?

Ce terme vient du mot « langue ». Pour le Petit Robert, il s'agit de la « fonction d'expression de la pensée et de communication entre les hommes, mise en œuvre au moyen d'un système de signes vocaux (parole) et éventuellement de signes graphiques (écriture) qui constitue une langue ». Si on s'en tient à cette définition, les animaux n'ont pas de langage puisqu'ils ne disposent ni de la parole, ni de l'écriture. Le dictionnaire limite d'ailleurs le langage à la communication entre les hommes.

Y A-T-IL UN « MESSAGE » ?

Il existe toutefois d'autres acceptions du mot langage et, notamment, celle-ci: «système d'expression et de communication que l'on assimile au langage naturel» – le langage des dauphins, par exemple. Or, le cheval utilise certains sons pour communiquer son humeur à son entourage. Mais, bien que l'on dénombre sept types de hennissements différents, aucun ne semble porteur d'un concept particulier. Ces différents cris peuvent survenir dans des circonstances très diverses : ils expriment davantage un état émotif qu'ils ne transmettent un véritable message.

UN LANGAGE CORPOREL

Le cheval s'exprime également par des mouvements d'oreilles, ou de tout le corps, hautement significatifs. Il communique, là encore, son état d'esprit et son humeur. Ce langage gestuel n'a pas grand-chose à voir avec celui des sourds-muets qui est une véritable langue. Les signaux qu'émet le cheval ressemblent plutôt aux mimiques, aux gestes que nous associons à nos paroles ou encore au ton de notre voix, c'est-à-dire à l'ensemble du message non verbal que nous adressons à nos interlocuteurs. Certains disent que chez l'homme, le non-dit représente 80 % de la communication.

Sont-ce là des formes de langage ? Sans doute, oui.

On a répertorié sept types de hennissements différents qui correspondent à des émotions différentes.

COMMUNICATION PLUS QUE LANGAGE

Le cheval est un être très communicant. Il adresse à ses semblables, ainsi qu'aux humains, de multiples messages à propos de ses émotions et de ses états d'âme.

FAIRE PASSER LE MESSAGE

Le terme « communication » convient mieux, dans le cas des animaux, que celui de « langage ». Communiquer, c'est transmettre un message. Il n'y a alors pas de doute: les chevaux communiquent. Un étalon qui poursuit une jument la tête basse et les oreilles plaquées sur la nuque exprime sa détermination et son intention de se faire obéir. Le message, très autoritaire, est : « réintègre le groupe ». Lorsque l'étalon cesse de brouter pour scruter l'horizon et humer l'air, il exprime son inquiétude et communique à sa harde un état d'alerte.

Ainsi, chez les chevaux, toute émotion s'accompagne d'une forme de communication.

BON A SAVOIR

Les émotions sont communicatives, elles permettent l'empathie, qui est la faculté de ressentir ce que ressent l'autre. Tous les cavaliers l'ont remarqué, les chevaux se comportent comme des moutons de Panurge. Il suffit que l'un prenne peur pour que tous les autres manifestent immédiatement de l'inquiétude. A l'inverse, le calme olympien d'un cheval d'école confère un flegme britannique aux poulains qui l'accompagnent. Un tel synchronisme suppose une forme de communication.

UNE COMMUNICATION BILATÉRALE

Les messages que s'adressent les chevaux sont avant tout visuels. Les messages auditifs et olfactifs passent au second plan, même s'ils sont empreints d'une forte connotation affective.

Notons également que la communication est presque toujours bilatérale. Le cheval envoie des messages et en reçoit en retour, captant l'attitude et la gestuelle de ceux qui l'entourent – chevaux ou humains.

Sorrel

Gros plan

Tout comme nous, le cheval est capable d'exprimer ses émotions par des mimiques. Mais il est beaucoup moins grimacier que les singes que nous sommes. Il faut donc, si on veut le comprendre, s'entraîner à détecter et à reconnaître les contractions musculaires de sa face ainsi que les expressions que celles-ci composent.

LE SAVIEZ-VOUS ?
Un langage volatil

Le cheval a un meilleur odorat que nous. Il utilise d'ailleurs le langage des odeurs pour communiquer. Les phéromones qu'il produit sont des messagers chimiques volatils qui modifient à distance le comportement des autres chevaux. Le flehmen, mimique caractéristique du cheval, indique que celui-ci a capté une odeur intéressante et qu'il cherche à l'analyser.

Kit Houghton

Bob Langrish

Pas besoin d'avoir la parole pour se faire comprendre : le message est clair !

La communication visuelle

Le cheval possède au plus haut degré l'aptitude à saisir
des modifications même infimes dans l'attitude de ceux qui l'entourent.
La communication visuelle occupe donc une grande place dans son langage.

Bob Langrish

Bob Langrish

3. Si l'alerte rouge est donnée, c'est la fuite. Tant que les postures sont hautes et tendues, le groupe reste uni et continue à fuir.

UN LANGAGE DE GESTES

Les postures, les déplacements et les gestes des chevaux sont très expressifs. Dans un groupe, la communication visuelle est constante.

UN SENS TRÈS DÉVELOPPÉ

Chez le cheval, le sens prédominant, c'est la vue. Il est donc logique que pour envoyer un message à ses semblables, il privilégie les messages visuels. C'est d'autant plus logique que l'habitat naturel des équidés est toujours très ouvert (plaines, steppes, etc.) et que rien n'obstrue la vue qu'ils ont les uns des autres. L'aptitude à appréhender la moindre tension musculaire chez autrui est si développée chez le cheval qu'elle a parfois pu faire croire que l'animal était capable de comprendre notre langage et même… de compter, comme dans le cas de Clever Hans (voir encadré).

LA POSTURE D'ALERTE

Pour un animal qui est une proie, pouvoir donner l'alerte est une priorité. Les chevaux ont un système de communication qui leur permet d'envoyer un message visuel à leurs compagnons même si ceux-ci broutent à une centaine de mètres de distance. Ils utilisent pour cela tout leur corps et il suffit qu'un cheval dresse la tête, les oreilles pointées vers l'avant, par exemple, pour éveiller l'attention des autres. En cas d'extrême urgence, il est vrai, ils émettent aussi un appel sonore.

BON A SAVOIR
Des signaux graduels

Il existe une véritable gradation dans les signaux qu'émettent les chevaux. L'animal donne plus ou moins d'intensité au message qu'il adresse à ses semblables en accentuant plus ou moins la posture.

ALERTE ROUGE

Si la queue est un peu relevée et les reins légèrement creusés, il s'agit de la posture d'alerte. Elle signifie : « Méfiez-vous, j'ai repéré quelque chose d'anormal dans cette direction. » Dans ce cas, les autres chevaux cessent de brouter, surveillent les alentours et se tiennent prêts à la fuite. Grâce à leur champ visuel de près de 360°, les chevaux sont d'excellents guetteurs. Aussi, quand plusieurs d'entre eux se tiennent en sentinelle, il est très difficile de les surprendre.

UN GUIDAGE EFFICACE

La posture de guidage est utilisée par l'étalon et, parfois, par une jument dominante, pour ramener dans le groupe les juments ou les poulains échappés ou, au contraire, pour en chasser celui qui a contrevenu aux règles. L'étalon s'approche du récalcitrant par derrière, le nez près du sol, les oreilles plaquées en arrière.

Kit Houghton

1. Les chevaux broutent, apparemment indifférents à ce qui se passe autour d'eux. Mais il suffit que l'un d'eux adopte une posture d'alerte…

Le saviez-vous ?

Parfois, le hennissement n'a d'autre fonction que d'attirer l'attention du groupe sur une posture d'alerte. C'est, en général, le signe d'une « alerte rouge » : il faut se tenir prêt à fuir.

Bob Langrish

Posture de guidage caractéristique de l'étalon.

LES POSTURES D'AGRESSION

Les différentes postures d'agression sont très évocatrices. Même un animal d'une autre espèce les comprend.

UNE GAMME ÉTENDUE

La gamme des gestes d'agression est très large et va de la simple mise en garde – la tête avance, les oreilles se couchent, les naseaux sont pincés, si nécessaire le tout est accompagné d'un grincement de dents menaçant – à l'agression caractérisée, la bouche ouverte et les dents en avant ou, au contraire, la croupe tournée vers l'agressé.

DÉSARMER SON AGRESSEUR

A ces gestes d'agression correspondent des attitudes de soumission destinées à calmer les velléités belliqueuses de l'agresseur. Ce sont en général des postures basses, le cheval, faisant face à celui à qui il s'adresse sans toutefois s'avancer, baissant la tête et plaquant la queue contre ses fesses.

Sorrel

Bob Langrish

2. ... pour que tous les autres cessent de brouter et se mettent sur leurs gardes.

Le signe ultime de soumission est le mâchouillement, le cheval mastiquant de façon ostentatoire, la bouche semi-ouverte, la tête basse. Ce geste appartient surtout au registre des jeunes chevaux qui quémandent la clémence d'un adulte, mais les adultes y ont parfois recours pour manifester leur soumission.

Les expressions du cheval

Les nombreuses mimiques du cheval sont parfaitement claires, dans toutes leurs nuances,
pour ses congénères. Elles sont pour nous, parfois, plus difficiles à déchiffrer ;
il est bon, cependant, d'apprendre à en distinguer les principales variantes.

Sorrel

LES MIMIQUES

De loin, le cheval s'exprime surtout par des gestes, des postures. De près, c'est l'expression faciale qui domine.

DE BONS OUTILS DE COMMUNICATION

Le cheval est un animal assez expressif. Il dispose de nombreux muscles faciaux qu'il mobilise constamment.

En associant les expressions des différentes parties de sa face, et parfois en nuançant ces expressions au moyen de la position de la tête et de l'ensemble du corps, le cheval est capable d'émettre une grande quantité de signaux et, surtout, de graduer finement ces messages.

UNE COMMUNICATION RICHE ET PRÉCISE

Cette variété étendue de messages, combinée à la grande acuité visuelle des chevaux et à leur sensibilité à la moindre variation d'attitude ou d'expression, permet à des animaux suffisamment proches pour se voir clairement d'avoir une communication immédiate et précise. Cette communication visuelle est de plus facilitée et complétée par des messages olfactifs et auditifs.

UN LEXIQUE DE BASE

Un répertoire complet des expressions faciales du cheval serait trop long; voici cependant les principaux messages que peuvent exprimer les différentes parties de sa tête.

BON A SAVOIR

Les émissions sonores, bien entendu, font aussi partie du langage du cheval. Les éthologues ont recensé sept types de hennissements différents, sans compter les nombreuses émissions sonores intermédiaires.

Naseaux très dilatés, œil écarquillé, oreilles très pointées: le cheval a peur et s'apprête à fuir si nécessaire.

Curiosité, méfiance, vif intérêt, peur, l'arrivée du photographe suscite des sentiments mêlés chez ces poulains.

Bob Langrish

Hermeline/Cogis

Les naseaux pincés ne sont jamais très engageants.

• Les oreilles, très mobiles, indépendantes l'une de l'autre, sont pour beaucoup dans l'expressivité du cheval – elles constituent l'un des éléments les plus immédiatement décryptables de son « langage ». Lorsque l'une d'elles ou les deux sont pointées vers l'avant, l'intérêt du cheval est éveillé, voire alerté. Lorsqu'elles sont relâchées ou mollement tournées vers l'arrière, il est inattentif ou peu disposé à communiquer. Les oreilles franchement plaquées vers l'arrière expriment une menace: le cheval a peur, a mal ou souhaite éloigner l'individu qui approche.

• Les yeux, selon la plus ou moins grande ouverture des paupières et la direction du regard, expriment une gamme étendue d'états et d'émotions. Un regard ouvert et vif exprime l'intérêt ou la curiosité, des yeux mis-clos sont signe de bien-être et de satisfaction – le cheval apprécie une caresse ou déguste sa ration – et, parfois, de fatigue ou de douleur intense; des yeux écarquillés, dont on voit le «blanc», qui roulent dans leur orbite, sont le signe d'une peur intense et/ou d'une agression imminente.

• Les naseaux, en se dilatant ou en se pinçant plus ou moins, accentuent les signaux émis par les autres parties de la face; ils trahissent bien les sensations et l'humeur de l'animal. Des naseaux ouverts et palpitants indiquent que le cheval a capté une information olfactive intéressante ou préoccupante. Des naseaux dilatés – quand cela ne résulte pas d'un essoufflement – sont un signe d'alerte, voire de peur, surtout si ce geste s'accompagne d'un ronflement sonore. Des naseaux pincés, qui font plisser la peau qui les entoure, expriment une menace dont il vaut mieux tenir compte : si le ton monte, une morsure va suivre.

• Enfin, les lèvres, associées à l'ouverture plus ou moins grande de la bouche, émettent elles aussi un certain nombre de signaux et en disent long sur la disposition de l'animal. Des lèvres relâchées expriment la décontraction. Des lèvres serrées, la lèvre supérieure étant légèrement crispée, accompagnent un état d'alerte.

Des lèvres pincées, la commissure étirée vers l'arrière, font partie des mimiques de menace. Si les lèvres découvrent les dents, la bouche étant ouverte, mieux vaut éviter de s'approcher. Au contraire, le « mâchouillement », la bouche s'ouvrant et se fermant mais les dents restant invisibles, la tête basse, est un signe de soumission.

LE SAVIEZ-VOUS ?

Il y a de nombreux degrés dans les menaces. Une simple menace, oreilles couchées, naseaux pincés et lèvres contractées (à gauche) sera suivie, si elle n'est pas entendue, d'une manifestation plus clairement agressive, bouche ouverte et dents découvertes (à droite). L'étape suivante, c'est le passage à l'acte.

Les oreilles peuvent tourner à 180 ° et indépendamment l'une de l'autre.

Les grandes phases
de la vie du cheval

De même que notre vie se découpe en grandes périodes encadrées par des événements sociaux précis – la petite enfance, l'entrée à l'école, l'adolescence, le bac, etc. –, la vie du cheval peut être divisée en grandes phases.

Sorrel

DE LA NAISSANCE À LA MATURITÉ

De la naissance à l'âge adulte, le cheval passe par plusieurs phases. Son « enfance » et son « adolescence » durent assez longtemps.

LES TROIS PREMIERS MOIS

Les trois premiers mois d'un cheval correspondent un peu à notre petite enfance: il est très proche de sa mère et apprend auprès d'elle, par imitation, les premiers gestes indispensables à sa survie. Il passe beaucoup de temps à dormir et à téter. Qu'il soit libre ou domestique, il n'explore qu'un périmètre assez restreint autour de sa mère. Il est déjà capable d'ébaucher des relations avec ses congénères ou d'autres êtres vivants, mais se comporte « comme maman », à qui il obéit encore presque aveuglément.

Toutefois, cette période est importante car c'est au cours de celle-ci qu'il s'imprègne de l'environnement qui sera le sien. S'il a connu un environnement riche et fait de nombreuses rencontres à cet âge, il présentera vraisemblablement de bien meilleures capacités d'adaptation par la suite.

L'APPRENTISSAGE SOCIAL

A partir de trois mois, le poulain commence à devenir plus autonome. Il s'éloigne de plus en plus de sa mère, tète moins et broute plus, explore le monde, consacre de plus en plus de temps au jeu. C'est en jouant avec ses congénères et en se frottant aux adultes qu'il se sociabilise : il doit comprendre les règles qui régissent la hiérarchie du groupe, apprendre à respecter les distances et l'espace de chacun, affiner sa compréhension et sa pratique du langage propre à son espèce.

DEVENIR UN GRAND

Jusqu'à deux ans, le jeune cheval libre acquiert progressivement les connaissances qui lui sont nécessaires pour vivre de façon autonome. Il s'éloigne progressivement de sa mère, le sevrage s'opérant en douceur entre un an et un an et demi, parfois deux ans. Il grandit et se transforme. Pour le cheval domestique, cette période peut être assez différente si un sevrage précoce est imposé vers six mois.

L'ADOLESCENCE

Le cheval de deux ans correspond à peu près à un adolescent. Les jeunes de cet âge se regroupent entre eux. Ils poursuivent des jeux et des simulacres de combats et d'approches sexuelles. La maturité sexuelle survient entre deux et trois ans. Toutefois, les jeunes entiers ont bien rarement l'occasion de saillir, et peu de femelles sont saillies, avant trois ans. Progressivement, les mâles et, parfois, certaines femelles migrent. Il arrive que les mâles célibataires forment de petits groupes en attendant de pouvoir fonder leur propre harem, tandis que certaines femelles quittent leur troupeau d'origine pour rejoindre une nouvelle troupe.

Bon à savoir

La plupart des juments enchaînent grossesse sur grossesse et leur vie est une longue suite de devoirs maternels : mettre bas, allaiter, éduquer les petits et les plus grands.

Mais il arrive qu'elles ne soient pas suitées pour une saison, d'abord parce qu'elles ne sont pas forcément pleines tous les ans et, surtout, parce qu'elles peuvent perdre un poulain à la naissance ou en bas âge.

Le cheval passe des jupons de sa mère à la bande de copains avant de s'intégrer dans un nouveau groupe. Mais il n'est pratiquement jamais seul : la solitude en ferait une proie facile et l'exposerait à une mort rapide.

Sorrel

Sorrel

Gros plan

La période de grande enfance et de l'adolescence (de un à deux ans) est une période bénie pour le jeune cheval, qu'il soit libre ou domestique : assez autonome pour jouir d'une certaine liberté, mais encore protégé par maman et dégagé des responsabilités de l'âge adulte et du travail, il s'occupe essentiellement à manger et à jouer.

GRANDIR ET VIEILLIR

Bien que la maturité sexuelle survienne généralement vers trois ans, un cheval n'est véritablement adulte, sur le plan de la croissance osseuse et musculaire autant que de la pleine possession de ses facultés, que vers cinq ou six ans.

LE SORT DIFFICILE DES ÉTALONS

Un jeune mâle parvenu à maturité cherche à fonder son harem en prélevant des femelles dans d'autres groupes. Il commence souvent par récupérer des « jeunettes » qui n'intéressent que peu l'étalon en titre, des femelles que ce dernier a chassées et, aussi, de vieilles juments. D'autres mâles continuent à vivre en petits groupes, poursuivant un célibat forcé et guettant l'occasion de détrôner un étalon vieillissant ou blessé.

UN DEVOIR D'ÉDUCATRICE

Les juments ont leur premier poulain vers trois ou quatre ans. Elles enchaînent ensuite les gestations et consacrent l'essentiel de leur temps à protéger et à éduquer leurs poulains; mais elles s'occupent aussi de l'éducation des autres jeunes, et le font d'autant plus que leur position dans le groupe est élevée.

LA VIEILLESSE

Une fois adulte, le cheval gagne en puissance, en force, en intelligence – il développe des stratégies de plus en plus efficaces pour obtenir ce qu'il veut et survivre confortablement au sein du groupe. Il commence à « mûrir » après dix ou douze ans, les premiers signes de vieillissement se manifestant à partir de quinze ans.

Dans la nature, les chevaux n'atteignent pas toujours cet âge, et il n'existe guère de vieillards !

Quand un mâle commence à décliner, il perd rapidement sa harde. Il tente parfois de reconstituer un harem avec les femelles rejetées par les autres étalons. Sans cesse provoqué par des mâles plus jeunes, il finit généralement seul et quitte alors son domaine pour mourir assez rapidement. Les juments vivent en général plus longtemps, car elles ne subissent pas une concurrence aussi rude. Mais, quand la fatigue les empêche de suivre le groupe, la mort ne se fait guère attendre.

Monnier/Cogis

Sorrel

Les chevaux libres n'ont pas le temps de vieillir : la retraite est un des privilèges de la domesticité.

LE COIN DU PRO
Mesure-t-on vraiment les effets du sevrage ?

Dans la nature, le poulain commence à s'éloigner de sa mère très progressivement à partir de trois mois, broutant toujours davantage et tétant toujours moins. Mais il n'est réellement sevré qu'après un an – parfois il tète jusqu'à deux ans. En le sevrant à six mois, sait-on vraiment de quoi on le prive ? D'autant que sa mère, dans la nature, poursuit l'éducation bien au-delà du sevrage…

Le cheval rêve-t-il ?

*Le cheval rêve, bien sûr, même si c'est un luxe qu'il ne s'accorde qu'avec parcimonie.
L'entrée au pays des songes suppose, en effet, un sommeil très profond
qui s'avère dangereux pour un herbivore chassé par de multiples prédateurs.*

Sorrel

UN BESOIN

Les chevaux dorment et se couchent peu. Néanmoins, ils ont besoin de s'étendre s'ils veulent plonger, ne serait-ce que quelques instants, dans un sommeil très profond – le seul qui permette le rêve, indispensable à leur santé psychologique.

UN DOMAINE MYSTÉRIEUX

On ne sait pas encore vraiment à quoi sert le rêve, ni comment il fonctionne, pas plus chez l'homme que chez le cheval. On se contente de recueillir les changements qu'il provoque au sein du cerveau. Diverses expériences (pratiquées avec le chat) ont également permis de deviner les comportements oniriques que vivent les animaux.

UN SOMMEIL LÉGER

Une légende tenace affirme que les chevaux dorment debout. Ils sont, en effet, capables de somnoler dans cette position, un postérieur à l'appui, soutenus par un mécanisme d'autoblocage articulaire. Il leur faut toutefois se coucher pour dormir vraiment. Ils se couchent en vache ou en décubitus ventral, c'est-à-dire sur le ventre avec les antérieurs repliés sous eux, quand ils veulent entrer dans une phase de sommeil lent. Le sommeil de cette phase est caractérisé par des ondes cérébrales lentes et par une certaine conservation du tonus musculaire. Le cheval n'est pas alors endormi très profondément et un léger stimulus suffit à le réveiller. Un bruit suspect et le voilà debout, prêt à s'enfuir.

LE MONDE DU RÊVE

De temps à autre, les chevaux s'étendent enfin de tout leur long, en décubitus latéral, c'est-à-dire couchés sur le côté, les jambes et la tête étendues sur le sol. Dans cette position, ils peuvent s'abandonner au sommeil paradoxal. Il s'agit d'un sommeil très profond, au cours duquel le tonus musculaire de l'animal est partiellement aboli. On le dit « paradoxal » car les ondes cérébrales ressemblent alors à celles que présente l'animal éveillé. C'est au cours de cette phase que l'animal rêve. Seuls ses yeux bougent. Parfois, il pousse de petits hennissements et remue un peu ses membres. Il est probable qu'il revit des épisodes de son existence et les moments de peur et de plaisir (recherche de nourriture, fuite, jeux, etc.) qu'il a éprouvés.

Sorrel

LE COIN DU PRO

Aucune étude importante du rêve chez les chevaux n'a encore été faite – leur faible propension au sommeil n'en faisant pas de bons sujets d'étude. C'est sur le malheureux chat que les scientifiques ont porté leur choix pour étudier le sommeil chez les animaux car c'est un des plus gros dormeurs parmi les petits mammifères.

L'expérimentation a confirmé l'importance vitale du sommeil paradoxal et du rêve.

Lorsqu'il est en déplacement – concours, randonnée, nouvelle installation – le cheval ne se sent pas toujours suffisamment en sécurité pour s'abandonner au sommeil. Il ne s'accorde que des phases de sommeil lent.

Falissier/Cogis

LA SÉCURITÉ INDISPENSABLE

Pendant ces phases de sommeil paradoxal, le cheval est particulièrement vulnérable puisqu'il est comme paralysé, sourd et aveugle. C'est la raison pour laquelle les chevaux ne s'adonnent au sommeil paradoxal que lorsqu'ils se sentent en parfaite sécurité.

Aussi est-il fréquent, lorsqu'on transfère un cheval de l'écurie au pré, qu'il ne se couche pas pendant la première nuit. Il faut, même, un bon mois pour qu'il retrouve un sommeil normal.

UN SOMMEIL FRAGMENTÉ

Les chevaux ne dorment pas, comme nous, d'une seule traite. Ils préfèrent faire plusieurs petits sommes, aussi bien dans la journée qu'au cours de la nuit. Leurs phases de rêve sont encore plus morcelées que les nôtres.

Bon pour le moral

Un box suffisamment grand

Sous le prétexte que les chevaux dorment debout – ce qui est faux puisqu'ils doivent s'allonger pour rêver – certains propriétaires ou éleveurs les hébergent dans des box ou des stalles si petits que les pauvres animaux n'ont même pas la place de s'allonger.

Pour rêver et s'adonner au sommeil paradoxal, les chevaux ont besoin de s'étendre de tout leur long sur le côté. La superficie minimale d'un box ou d'une stalle doit donc permettre à l'animal de s'allonger de tout son long.

Les chevaux consacrent en moyenne cinq heures par jour au sommeil et neuf fois cinq minutes au rêve.

PEU DE TEMPS POUR RÊVER

Comparativement à nous, les chevaux dorment peu et jamais une nuit entière. Ils dorment plutôt par intermittence. Le cumul des périodes de sommeil ou de somnolence qu'ils s'octroient dans la nature représente à peine cinq heures par jour, et le temps passé en position couchée n'excède pas 2 h 30. Les poneys se couchent davantage et vont jusqu'à cinq heures par jour.

Les chevaux passent de toute façon environ deux fois plus de temps en décubitus ventral (couchés en vache) qu'en décubitus latéral (allongés sur le côté).

Lorsqu'ils s'étendent de tout leur long, ils ne dorment en général pas plus de vingt minutes. Ils ont donc peu de temps pour rêver.

BON A SAVOIR

Bien que l'on ne puisse encore démontrer le rôle exact du rêve, il est clair qu'il a une part très importante dans l'équilibre et le fonctionnement du système nerveux et de l'intelligence.

On sait avec une quasi-certitude que le rêve est notamment lié au fonctionnement de la mémoire et, donc, à tous les processus d'apprentissage.

RÊVER EN PLEIN JOUR

Étant donné la brièveté des phases de sommeil paradoxal, les chevaux ne connaissent que de courtes séquences de rêve de cinq minutes, qui se répètent environ neuf fois par jour.

Les phases de sommeil sont réparties entre le jour et la nuit, avec une légère prédominance pour la période nocturne. Ainsi, lorsqu'il fait jour, les chevaux restent éveillés 80 % du temps. Pendant la nuit, ils restent éveillés 60 % du temps et somnolent 20 % du temps.

Le saviez-vous ?

Les poulains rêvent bien davantage que les chevaux adultes.

Le rêve semble leur permettre de mettre en place et de consolider leurs programmes comportementaux. Il est donc essentiel de respecter le sommeil des poulains.

Les comportements alimentaires

Le cheval tire ce dont il a besoin, du point de vue alimentaire, de végétaux variés, très riches en fibres et relativement pauvres en nutriments. Aussi doit-il consacrer beaucoup de temps au pâturage et apprendre de bonne heure à distinguer les bons des mauvais végétaux.

Sorrel

LE BON GRAIN ET L'IVRAIE

Le cheval est incapable de vomir. Cette caractéristique de son système digestif a considérablement influencé son comportement alimentaire.

PRUDENCE D'ABORD

L'impossibilité de régurgiter un aliment indigeste ou toxique signifie que l'aliment en question devra, s'il est ingéré, traverser tout le système digestif avant d'être évacué, ce qui n'est pas toujours possible, par l'anus. C'est pourquoi les chevaux apprennent de très bonne heure à distinguer les bons des mauvais aliments. Ils font preuve d'une extrême prudence à l'égard de tout aliment nouveau et, dans l'ensemble, se montrent «difficiles», préférant renoncer à un aliment plutôt que prendre le moindre risque.

UN APPRENTISSAGE COMPLEXE

Les processus d'apprentissage qui conduisent les chevaux à choisir les bons aliments sont complexes : nous n'en connaissons encore qu'une infime partie. Ils apprennent, d'une part, à reconnaître et à éviter les aliments toxiques, d'autre part

à choisir les aliments nutritifs en fonction de leur goût, de leur texture et de leur aspect. Ils semblent capables, en liberté, d'équilibrer leur régime et d'ingérer des plantes pour leurs effets curatifs – on pense qu'ils savent reconnaître, par exemple, certaines plantes dotées d'effets antiparasitaires.

L'IMITATION

L'apprentissage se fait en partie par imitation. Le poulain broute d'abord avec sa mère, imitant en tout point son comportement: il apprend ainsi à éviter les plantes toxiques et à consommer celles qui sont bonnes et nutritives.
Par la suite, la ou les juments dominantes, qui ont acquis une certaine expérience, semblent avoir autorité pour choisir le lieu de pâturage. Elles signalent par un ronflement caractéristique, émis en soufflant par les naseaux, la présence de plantes toxiques.

LA PART DE L'HOMME

L'apprentissage qui permet au cheval d'adopter un comportement alimentaire sain est considérablement compromis par la captivité.

Bob Langrish

BON A SAVOIR

Les chevaux aiment la variété et recherchent une alimentation riche en fibres. Dans certaines prairies semées – qui ne contiennent que des végétaux hautement nutritifs et parfaitement digestes –, on constate que les chevaux broutent beaucoup les haies, les herbes qu'ils trouvent de l'autre côté de la clôture ou les coins de prairie non ensemencés: ils semblent se lasser d'une alimentation certes nutritive, mais trop monotone. Ils recherchent la diversité des saveurs et, sans doute, des aliments moins digestes et plus riches en fibres.

Une alimentation riche en foin sauvegarde au moins en partie les comportements alimentaires indispensables à la santé physique et mentale du cheval.

Bob Langrish

LE MANQUE D'APPRENTISSAGE

Le sevrage précoce et le fait d'être élevé dans un milieu restreint, voire en box ou en paddock, ne permettent pas au poulain d'apprendre les bons comportements alimentaires en imitant sa mère. Dès lors, il devient dépendant des hommes, qui devront veiller à la qualité de son alimentation et prendre garde de ne pas l'exposer à des aliments toxiques qu'il n'a pas appris à reconnaître comme tels. En revanche, les poulains élevés avec leur mère dans un groupe pendant au moins un an, sur de grands pâturages comportant une bonne variété de plantes, acquièrent les bases d'un comportement alimentaire sain.

Le saviez-vous ?

L'apprentissage par imitation ne donne de bons résultats que pour la région où le cheval l'a vécu. Transplanté, l'animal risque de commettre des erreurs. Néanmoins, il n'apprend pas seulement à distinguer les aliments. Il apprend aussi à adopter une attitude prudente: c'est pourquoi, livré à lui-même dans un environnement inconnu, il ne consommera d'abord que les plantes qu'il connaît bien. Tout aliment nouveau sera soit ignoré, soit consommé en quantité tout à fait infime. Si le cheval constate que cette « bouchée » ne lui fait pas de mal, il recommencera l'expérience ultérieurement, augmentant progressivement les quantités. Une fois acquise la certitude que l'aliment est bon, il le consommera sans la moindre hésitation.

Les chevaux sauvages consacrent environ 60 % de leur temps à s'alimenter – contre 15 % seulement pour les animaux captifs nourris aux granulés.

LE « DÉSAPPRENTISSAGE »

Lorsqu'un cheval reçoit quotidiennement sa nourriture de l'homme, un conditionnement se met en place qui lui désapprend certains comportements. Ainsi, s'il est vrai que le jeune cheval récemment ramené au box se montre d'abord très prudent à l'égard des aliments qu'on lui apporte, il apprend rapidement à se jeter aveuglément sur tout ce qui est mis dans sa mangeoire. Il perd en partie sa capacité à équilibrer son régime, d'où de nombreux troubles digestifs. Par ailleurs, la façon dont les repas sont distribués ne satisfait pas toujours aux besoins du cheval et, notamment, à celui de mastiquer des heures durant des aliments riches en fibres et relativement pauvres en nutriments. Les granulés et les céréales lui procurent même une diète inverse: des repas très nutritifs avalés en quelques minutes. C'est pourquoi il est capital que le foin entre pour une large part dans son alimentation.

GROS PLAN
Les préférences

Les chevaux choisissent leurs aliments avec beaucoup de soin. Ils consomment d'abord ceux qu'ils préfèrent. Les critères de choix sont nombreux. En partie déterminés par l'apprentissage, ils prennent en compte le goût, l'aspect, la texture, la digestibilité et la valeur nutritive des aliments.

L'âge et le sexe semblent affecter les préférences du cheval. Les poulains ne broutent pas encore de façon efficace et préfèrent consommer l'extrémité fleurie des plantes, du moins quand c'est possible.

Il semble que les étalons modifient leur alimentation pendant la période des amours, aussi bien en quantité qu'en qualité (ils élimineraient certaines plantes de leur régime).

On observe, d'un individu à l'autre, des variations parfois sensibles des préférences, certains chevaux boudant littéralement certains aliments que les autres consomment, ou montrant un goût particulier pour telle ou telle plante.

Naturellement, ces préférences tiennent compte de la végétation disponible.

Les chevaux et les enfants

Les chevaux ont la réputation d'établir des relations privilégiées et particulières avec les enfants.
On dit même souvent qu'ils sont conscients de la fragilité de ceux-ci.
Qu'en est-il réellement ?

Bob Langrish

LE CHEVAL, AMI DES ENFANTS ?

Quel que soit leur âge, les enfants sont spontanément attirés par les chevaux ; mais peut-on parler d'une attirance réciproque ? Les chevaux aiment-ils les enfants ?

AUCUNE GÉNÉRALISATION N'EST POSSIBLE

Certains chevaux acceptent sans broncher les manifestations d'amour parfois très démonstratives des enfants. Ils montrent alors des trésors de patience devant les caresses, acceptent de manger avec enthousiasme les brins de paille ramassés à terre alors que leur litière est plus appétissante, se laissent manipuler par des tout-petits. D'autres chevaux donnent, eux, des signes d'inquiétude, voire d'agressivité, à l'approche des enfants. On ne peut donc parler que de cas particuliers.

GROS PLAN

Le grand amour avec un cheval, beaucoup de cavaliers en rêvent. Ces rencontres heureuses sont possibles, mais elles ne sont pas systématiques et surviennent rarement avec un cheval d'instruction.

UNE « COMPLICITÉ » LITTÉRAIRE

Cette relation particulière que l'on prête aux enfants et aux chevaux semble avoir son origine dans la littérature pour jeune public bien plus que dans les faits. Ainsi, l'amitié qui lie les héros en herbe et leur monture, peinte dans beaucoup de romans, de nouvelles, de bandes dessinées ou de films, tient davantage de l'imaginaire que de la réalité. Vivre une complicité partagée avec un cheval fait partie des rêves secrets de presque tous les enfants et de tous les cavaliers. La réalisation de ce rêve est rare (mais cela arrive) avec un cheval d'école. Elle est plus facile quand on est propriétaire d'un cheval et, mieux encore, quand on en a un chez soi.

DANS LA PRATIQUE

Le comportement du cheval envers les enfants dépend de son tempérament et de son éducation.

D'UN CHEVAL À L'AUTRE

Le comportement d'un cheval dépend non seulement de son tempérament (calme, anxieux, sociable, farouche, joueur, grognon, etc.), mais encore de son degré de familiarisation avec l'homme et de son

Du fait de leur grande familiarité avec les enfants dès les débuts de leur dressage, et de leur tempérament généralement calme, les poneys acceptent bien les manipulations et s'émeuvent rarement.

niveau de dressage. Un cheval serein qui a l'habitude de voir du monde et qui se laisse manipuler très facilement pourra être confié à des enfants même si le rapport de taille est impressionnant. Par contre, un poulain peut se montrer déconcerté, voire effarouché, par l'attitude de certains enfants : chahut, cris, courses, rires représentent autant de causes de peur.

Bob Langrish

imprévues provoquent rarement de vives réactions. De plus, comme ils ont moins de force physique que les chevaux, ils sont plus facilement maîtrisables par les enfants.

COMPAGNON DE JEU

Leur petite taille fait des poneys des confidents attentifs : on peut leur parler à l'oreille de ses joies et de ses peines. De plus, les filles adorent déguiser les poneys, tresser leur crinière, fleurir leur queue. Cet animal devient rapidement un compagnon de jeu que les petits cavaliers incluent spontanément dans leur monde.

Le coin du pro

Il faut éviter de laisser les enfants sans surveillance à côté d'un cheval. Le mieux est de leur apprendre très tôt les consignes de sécurité. Ils se prêtent volontiers au jeu et comprennent vite que la qualité de leur relation avec leur monture dépend de leur bonne connaissance du cheval.

LES ENFANTS, LES CHEVAUX ET LES FRIANDISES

Les enfants adorent donner des friandises aux chevaux. Mais cette pratique sympathique peut entraîner des désordres et même, parfois, des accidents. En effet, outre les problèmes digestifs que peut entraîner cette distribution d'aliments (pommes, pain dur, carottes, bonbons pour chevaux, etc.) hors repas, l'habitude du grignotage peut amener les chevaux à chercher dans les poches, à mordiller ou à taper dans les portes. Par ailleurs, les jeunes enfants présentant mal, souvent, la nourriture, ils risquent de se faire mordre le bout des doigts ou de se faire bousculer si le cheval essaie de récupérer un morceau de pain ou de pomme tombé à terre.

LE PONEY, UN COPAIN ?

Les poneys, surtout les shetlands, semblent plus accessibles aux enfants – par leur petite taille mais aussi par leur aspect, qui fait penser à une peluche et qui met en confiance petits et grands.

DE BONS POINTS POUR LES PONEYS

Les poneys présentent souvent l'avantage, pour les enfants, d'avoir un tempérament placide et d'être moins ombrageux que la plupart des chevaux. Ainsi, les situations

BON A SAVOIR
Une mauvaise réputation

Les poneys n'ont pas toujours une bonne réputation. On leur reproche parfois d'être vicieux et indisciplinés. Mais cette réputation découle directement d'erreurs de dressage – les poneys n'étant souvent montés, et dès le début de leur éducation, que par de jeunes cavaliers inexpérimentés.

En outre, il n'est pas rare qu'un poney-club intègre dans sa cavalerie des poneys peu éduqués et peu familiarisés.

Enfin, le poney, constatant le manque d'autorité de son cavalier, se permet de désobéir et de prendre des initiatives. Il prend progressivement le dessus et finit par n'en faire qu'à sa tête. Il faut, pour éviter cela, que des cavaliers adultes confirmés s'occupent des poneys et les prennent en main aussi souvent que nécessaire.

Bob Langrish

Les chevaux et les chiens

Le cheval est une proie, le chien un prédateur :
faire vivre ces deux animaux en harmonie n'a donc rien d'évident.
Pour la sécurité de chacun, il faut un peu de bon sens et beaucoup d'éducation.

Kit Houghton

CONNAÎTRE LES DANGERS

La cohabitation entre chiens et chevaux n'a rien de naturel et il est du devoir du cavalier d'envisager et de prévenir les dangers qui en découlent.

LE COIN DU PRO

En concours, les incidents dus aux chiens ne sont pas rares et, s'ils ne sont pas forcément graves, ils sont parfois très déplaisants : beaucoup de concurrents perdent des points à cause d'un chien. Attachez le vôtre !

Cela vous amuse ? Vous devez pourtant intervenir fermement, car le danger sera grand avec un cheval moins conciliant.

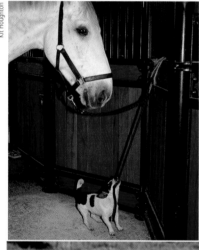

TROP D'ACCIDENTS

Un chien qui agace les chevaux est à l'origine de bien des accidents et, s'il en est la principale victime (coups de pied souvent mortels), il n'est pas la seule : le cheval affolé peut s'agiter dans son box et se blesser, tirer au renard, s'enfuir avec tous les risques que cela comporte. Les cavaliers eux-mêmes, qu'ils soient à pied ou à cheval, font bien souvent les frais de ces désordres.

QUEL CHIEN CHOISIR?

Un chien de berger montre en général une fâcheuse tendance à vouloir rassembler le « bétail » : il court après les chevaux (au pré, mais aussi dans la carrière, quand il parvient à s'y introduire), leur mordant éventuellement les jarrets, ce qui entraîne toutes sortes de risques. Il se livre aussi à des « alignements » intempestifs, cherchant, par exemple, à faire rentrer les têtes qui dépassent des box – les chevaux se blessent, alors, en cas de brusque recul.

Il est donc essentiel de s'assurer que le chien de berger a renoncé à son instinct lorsqu'il côtoie les chevaux.

Cheval et chien n'ont pas naturellement des relations amicales : l'un est proie, l'autre prédateur. A vous d'établir – et de faire respecter – des règles strictes.

LE CHIEN DE CHASSE

Un chien de chasse s'adapte bien, en général, à la vie cavalière. Il adore partir en balade et ne semble jamais fatigué. Correctement dressé, il se comporte bien avec les chevaux, affichant le plus souvent une indifférence polie envers ce gibier un peu gros pour son goût. Le revers de la médaille, c'est son énergie parfois épuisante et la propension chez certaines races, comme les terriers, à creuser des trous, particulièrement dans le sol meuble de la carrière et du rond de longe.

Un chien, même habituellement très sage, peut avoir des réactions inattendues lorsque le cheval fait des mouvements qu'il ne comprend pas. Il ne faut donc jamais permettre aux chiens d'accéder aux lieux réservés aux chevaux.

174

LE CHIEN DE GARDE

C'est le chien le plus discipliné: il respectera le cheval comme tout ce qui appartient à son maître. Le hic : les écuries sont des lieux publics et un animal agressif n'y est pas forcément à sa place. Là encore, une éducation soignée s'impose. Il ne faut pas hésiter à attacher ou à enfermer ce genre de chien quand on s'absente, car on risque d'exposer tous les cavaliers qui passent devant le box à des menaces, voire à des morsures.

LES RÈGLES D'UNE BONNE COHABITATION

Le cheval peut s'habituer au chien, voire l'apprécier, et réciproquement. Mais une bonne éducation du chien reste néanmoins capitale.

D'instinct, les chiens de berger cherchent à rassembler leur « troupeau ».

DES LIMITES INFRANCHISSABLES

Un bon chien d'écurie doit, bien sûr, apprendre à ne jamais courir après un cheval et à ne pas s'approcher de lui en aboyant. Mais, avec les animaux, il est imprudent de compter sur un comportement toujours parfait. Si un cheval se déchaîne, le chien peut avoir une réaction inattendue. Il est donc important d'interdire au chien, dès ses premiers jours à l'écurie, l'accès du manège, de la carrière, du rond de longe, des paddocks. Il est également sage de lui apprendre à ne pas entrer dans les box.

Le saviez-vous ?

Si beaucoup de chevaux ont tendance à fuir devant les chiens, certains leur font face ou, même, les chassent, tête au ras du sol, avec une expression menaçante, et vont parfois jusqu'à les mordre.

ATTENTION, DANGER !

Promener son cheval et son chien ensemble, c'est bien tentant. Mais, attention, un chien qui déboule brusquement d'un fourré risque de provoquer une réaction vive de la part de votre monture.

PROMENER SON CHEVAL ET SON CHIEN ?

Bien sûr, la tentation est grande d'emmener son chien quand on part se balader à cheval. Malheureusement, il est difficile de contrôler deux animaux à la fois: en cas de problème avec le cheval, vous ne contrôlerez plus le chien, et inversement.

Vous devez tester le chien avec un cheval très calme et habitué à la compagnie canine. Mettez-le sérieusement à l'épreuve avant de l'emmener avec un cheval moins paisible.

Bob Langrish

L'ÉLEVAGE

Préparer le poulinage

*Les jours qui précèdent le poulinage, la jument a surtout besoin de tranquillité.
Surveillez simplement les opérations de loin, et pensez à disposer, le moment venu,
d'un grand box bien propre pour la future mère.*

Animals Animals/Sunset

Quelques heures après la naissance, la mère et son petit peuvent retourner au pré.

Kit Houghton

QUARANTE JOURS D'ATTENTE

Pour l'éleveur amateur, les dernières semaines avant la mise bas sont pleines de suspens : difficile en effet de prévoir avec précision quand arrivera le jour J.

LE COIN DU PRO

L'analyse chimique des sécrétions lactées permet de connaître avec une relative précision la date de la mise bas. Il existe également des bandelettes colorées que l'on peut tremper soi-même dans une solution d'eau distillée et de sécrétion mammaire. Plus la bandelette se colore en rouge-violet, plus le poulinage est proche.

DES PRÉVISIONS INCERTAINES

La durée normale de la gestation va de 320 à 360 jours, ce qui laisse tout de même un battement d'une quarantaine de jours. Cela ne facilite guère la vie des éleveurs amateurs, qui n'osent plus quitter la future mère pendant cette période. Si votre jument est pleine, vous devez en effet exercer une vigilance particulière dès la fin du dixième mois de gestation. Surveillez quotidiennement la jument. Elle peut encore rester au pré dans la journée à condition de recevoir plusieurs visites quotidiennes. La nuit, rentrez-la à l'écurie.

LES DERNIERS JOURS

L'imminence de la mise bas sera annoncée, une quinzaine de jours environ avant la naissance, par un gonflement des mamelles. A partir de ce moment, vous devez pouvoir disposer d'un box spacieux et parfaitement propre. Désinfectez-le soigneusement, laissez-le sécher en

l'aérant, puis garnissez-le d'une litière particulièrement épaisse. Choisissez une paille de qualité supérieure, longue et peu poussiéreuse.
Tenez votre vétérinaire au courant de l'évolution de la situation.
Les mamelles vont d'abord sécréter un liquide clair. Lorsque celui-ci devient trouble et un peu collant, il est temps de mettre la jument dans le grand box de poulinage et de prévenir votre vétérinaire de l'imminence du grand événement. Lorsque les sécrétions deviennent blanches et visqueuses, le poulain peut apparaître d'une heure à l'autre.

Le saviez-vous ?

Dans les grands haras, les box de poulinage modernes sont pourvus de caméras vidéo. Un seul observateur peut alors surveiller plusieurs poulinières, sur écran, durant la nuit.

Prévoyez un box spacieux et propre généreusement paillé.

UNE NAISSANCE DIFFÉRÉE

Lorsque le grand moment est venu, la jument s'agite et transpire. Elle regarde ses flancs et se couche fréquemment. Son ventre est animé de contractions – qui sont parfois à peine visibles. Cette période de travail peut se prolonger plusieurs heures. A ce stade, la mise bas est encore réversible : la jument a encore la capacité d'interrompre le travail et de retarder l'accouchement si elle est inquiète. C'est pourquoi il faut éviter de la déranger.

En revanche, une fois que la poche des eaux est rompue, le poulinage est irréversible : le placenta se déchire et laisse s'échapper le liquide amniotique par la vulve. Très rapidement apparaîtront les antérieurs du poulain encore pris dans leurs enveloppes amniotiques. Peu de temps après, le nouveau-né sera entièrement expulsé.

LE SUIVI DES JUMENTS

Le pire ennemi de la poulinière est l'anxiété des humains qui sont censés la surveiller. Un stress qui incite souvent la jument à différer la naissance jusqu'à la nuit.

Le saviez-vous ?

La jument partage avec d'autres mammifères le privilège de pouvoir retarder la mise bas de quelques heures si elle ne se sent pas en sécurité. Ce qui explique pourquoi la très grande majorité des poulinages ont lieu la nuit, quand tout est tranquille. Et pourquoi la plupart des éleveurs amateurs découvrent un beau matin le poulain déjà sur ses pieds.

NE PAS S'ENDORMIR

La préparation du poulinage est surtout une affaire d'ambiance. Une fois que les signes d'une mise bas proche apparaissent et que le box est prêt, il ne reste plus qu'à surveiller la jument nuit après nuit (les poulinages ont presque toujours lieu de nuit) afin d'être là au bon moment. Il n'est pas rare que le préposé à la surveillance de la poulinière s'endorme et découvre le poulain debout et déjà allaité lors de son réveil !

En attendant l'heureux événement, inspectez quotidiennement les mamelles et leurs sécrétions, ainsi que la vulve de la jument. Tout saignement est anormal et doit vous inciter à appeler le vétérinaire.

LE MOMENT VENU

Si la mise bas vous semble imminente, prévenez votre vétérinaire. En fait, les soins sont souvent réduits au minimum : on se contente en général de nettoyer la vulve et d'entourer la base de la queue d'une bande de queue pour éviter que des crins se placent mal, puis de surveiller que tout se déroule normalement. La présence humaine doit être aussi discrète que possible.

Il est toutefois important que le poulinage se déroule dans un box récemment désinfecté et de grandes dimensions : il ne faut pas que la jument risque de rester coincée si elle se roule ; en outre, une ou deux personnes doivent pouvoir intervenir, si nécessaire, sans gêner la mère.

BON POUR LE MORAL
La gestation n'est pas une maladie

Pendant qu'elle est pleine, la jument peut mener une vie relativement normale. Vous pouvez la monter jusqu'au neuvième mois si tout se passe bien – pour des balades tranquilles ou un travail sur le plat léger. Mettez-la au pré le plus possible et ne la laissez surtout pas enfermée dans un box sans exercice sous prétexte qu'elle doit se reposer.

Le poulinage au pré a ses partisans. Il est possible si la jument accouche au printemps ou au début de l'été. Comme elle cherche en général à s'isoler de ses congénères, il est préférable, dans ce cas, de laisser la jument seule dans le pré.

La naissance du poulain

Généralement, le poulain vient au monde très vite et sans problème particulier après le début de la mise bas. Cependant, il est important de pouvoir faire rapidement appel à quelqu'un de compétent si des problèmes surgissent.

ÊTRE DISCRET, MAIS PRÉSENT

C'est le grand jour ! La jument cherche à s'isoler, commence à s'agiter, à transpirer. Bientôt le poulain sera là. La jument sait d'instinct ce qu'elle doit faire, mais notre aide peut lui être précieuse en cas de difficulté.

AVANT LA NAISSANCE

DES SIGNES ANNONCIATEURS

Il est parfois difficile de savoir quand une jument va pouliner, mais, dans la plupart des cas, certains signes annonciateurs donnent l'alarme. Durant les dernières semaines de la gestation, la jument devient nerveuse, elle se couche et se relève fréquemment. Elle semble mal à l'aise, évite ses congénères et va même jusqu'à se montrer agressive à leur égard. Une ou deux semaines avant la naissance, ses flancs prennent une ampleur considérable.

MONTÉE DE LAIT

Environ quinze jours avant le poulinage, les mamelles grossissent nettement. Deux jours avant, elles gonflent encore et une sorte de cire bouche les tétons pour empêcher le lait de s'écouler. Il n'est pas rare que quelques gouttes jaunâtres suintent des mamelles : on dit que les mamelles «cirent». On peut faire effectuer des analyses sur un prélèvement de lait (à partir du dixième jour précédant la date où le poulain devrait arriver) pour prévoir le jour probable de la naissance.

En léchant son poulain, la jument le nettoie, le sèche, le réchauffe et active la circulation de son sang. En même temps, elle s'imprègne de son odeur, qu'elle sera ensuite capable d'identifier sans erreur.

ANT/Sunset

Georges / Sunset

Contrairement à beaucoup d'autres mammifères, le poulain est très développé à la naissance. Il est capable de se tenir debout quelques instants après sa venue au monde et peut suivre sa mère au pré très rapidement.

LES PHASES DU TRAVAIL

QUELQUES HEURES AVANT

La première étape du travail (acte de donner le jour) est variable. Dans un pré avec d'autres chevaux, la jument quitte le groupe pour s'isoler. Quand elle est à l'écurie, elle marche et s'agite dans son box. Elle peut se rouler et commencer à se regarder le flanc. Parfois, ce genre de comportement n'est qu'une fausse alerte, qui peut se produire une semaine ou plus avant la vraie mise bas. Au tout début du travail, la jument se met à transpirer de plus en plus abondamment au niveau des épaules et des flancs. Quelques heures avant la mise bas, les ligaments situés de chaque côté de la queue se distendent.

LA PERTE DES EAUX

La naissance elle-même débute par l'écoulement du liquide amniotique. Ce liquide entoure le poulain, dans le placenta, dans le ventre de sa mère. Lorsque le poulain commence à avancer dans l'utérus, le placenta crève et libère le liquide amniotique. Cet écoulement s'appelle la « perte des eaux ». Lorsque le liquide s'est échappé, le poulain doit être délivré rapidement, sinon il meurt presque à coup sûr. La jument se couche souvent pour cette partie du travail. Les antérieurs du poulain devraient apparaître dans les vingt minutes suivant la perte des eaux. Si cela ne se produit pas, et surtout si les postérieurs se présentent d'abord, appelez le vétérinaire. Le poulain devrait naître de cinq à trente minutes après l'apparition des antérieurs. Il vient généralement au monde enveloppé dans l'amnios (membrane qui le couvre dans la matrice).

UN POULAIN EST NÉ

Après la délivrance, le poulain se libère lui-même de la membrane, aidé par sa mère. S'il semble faible et que la membrane n'est pas ouverte, elle doit très vite être déchirée.

Habituellement, la mère lèche son poulain, lui nettoie les naseaux et la bouche et se frotte contre lui pour le sécher. Si, et seulement si, elle n'agit pas de la sorte, on peut faire le travail à sa place en dégageant les naseaux et la bouche du poulain et en le frictionnant avec des serviettes. Le cordon ombilical se rompt de lui-même lors des premiers mouvements de la mère et du poulain.

Bon à savoir

La plupart des juments mettent bas au cours de la nuit, et environ la moitié des poulains naissent entre 10 heures du soir et 2 heures du matin.

DERNIER EFFORT

Dès qu'elle a récupéré, en général au cours des quarante minutes suivant la naissance, la jument se lève. Le placenta sort environ une heure après la mise bas. Il s'agit de la troisième phase du travail, qu'on peut considérer comme un nettoyage. Si le placenta entier n'est pas sorti dans les trois heures après le poulinage, un vétérinaire doit le retirer du ventre de la jument.

PREMIERS PAS

La plupart des poulains se lèvent une demi-heure environ après leur naissance. Leurs efforts sont parfois pitoyables, mais il faut, là encore, éviter d'intervenir: ces premiers gestes font partie de leur apprentissage. Dans l'heure suivante, le nouveau-né commence à téter. Ce premier lait contient une substance, le colostrum, qui se transforme en anticorps et protège le poulain des maladies et des infections.

A FAIRE, A NE PAS FAIRE

Dès que la jument commence à s'agiter, il faut s'efforcer de la laisser autant que possible seule et au calme. Mieux vaut la surveiller discrètement, sans entrer inutilement dans le box, même si l'on est tenté de l'encourager !

Comment préparer le poulinage

Même si la jument vit au pré, il est souvent préférable qu'elle accouche au box. Choisissez un box bien éclairé et spacieux – la jument doit pouvoir se déplacer et une ou deux personnes intervenir sans être gênées. Nettoyez le box, paillez-le généreusement avec une paille de qualité et peu poussiéreuse. La jument doit avoir de l'eau propre à disposition pendant tout le travail.

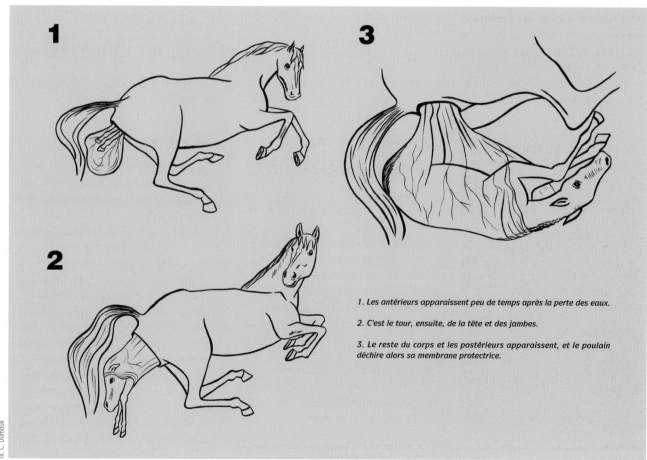

1. Les antérieurs apparaissent peu de temps après la perte des eaux.

2. C'est le tour, ensuite, de la tête et des jambes.

3. Le reste du corps et les postérieurs apparaissent, et le poulain déchire alors sa membrane protectrice.

Ill. C. Dumoux

Les premiers mois du poulain

Contrairement à nous, le poulain peut se tenir debout et marcher quelques heures après sa naissance. Quelques jours plus tard, il peut courir suffisamment vite pour suivre sa mère.

G. Lacz/Sunset

DES JAMBES POUR FUIR

Le poulain naît avec de longues jambes dont il sait presque aussitôt se servir : une nécessité dans le monde sans pitié de la vie sauvage !

L'INSTINCT DE FUITE

De nos jours, la plupart des chevaux sont domestiqués et n'ont pas à craindre d'éventuels prédateurs qui pourraient s'attaquer à eux. Mais, dans la nature, les chevaux, et en particulier les poulains, représentent de belles proies pour les ours, les loups, les cougars, les lynx, etc. Ils ne sont qu'un maillon de la chaîne alimentaire et la rapidité est leur meilleur moyen de défense. Quand les poulains naissent, leurs jambes ont déjà, à 90 %, leur taille adulte. Ils sont immédiatement capables de vitesse et peuvent fuir en cas de danger.

L'amitié est extrêmement importante pour les jeunes chevaux. Ces poulains dülmen passent la plupart de leur temps à jouer et à se reposer ensemble.

JOUER ET SE REPOSER

Les poulains sont par nature curieux et impatients de connaître leur environnement. Pleins d'une vitalité toute neuve, ils adorent jouer et faire les fous. Ils explorent constamment leur domaine à la recherche de nouveaux lieux et de nouvelles odeurs. Cette activité met leurs jambes à l'épreuve et contribue à développer leur musculature. Mais les poulains se fatiguent vite. Pour compenser ces dépenses d'énergie, de longues phases de repos sont essentielles. Il ne faut pas s'inquiéter de voir un poulain étendu de tout son long dans l'herbe : ce repos contribue à sa croissance et prouve que le poulain est heureux et en bonne santé.

LE JEU : UN APPRENTISSAGE

Un poulain élevé en liberté, ou au pré avec d'autres chevaux, joue beaucoup avec les autres poulains. Ces « amitiés » sont importantes pour son développement. Les jeux sont riches d'enseignements car on y reproduit des situations réelles : la poursuite, l'attaque, le rassemblement, la fuite soudaine, les sauts, l'intimidation, etc. A travers ces jeux, le poulain apprend comment il doit se comporter dans le groupe et, bien sûr, il développe sa capacité à estimer le danger et à y réagir.

Les contacts physiques entre le poulain et sa mère développent les sens du jeune cheval. Ils lui donnent aussi un sentiment de bien-être qui contribue à son épanouissement – donc à sa croissance.

La vie du poulain est riche en découvertes et en émotions. Rien de mieux pour récupérer qu'une sieste au soleil.

R. Maier/Sunset

G. Lacz/Sunset

1 AN DE LA VIE D'UN CHEVAL = 5 ANS DE LA VIE D'UN HOMME

Pendant les cinq premières années, une année de la vie d'un cheval équivaut à cinq de la vie d'un homme. Un poulain de six mois, par exemple, est au même stade de développement qu'un enfant de deux ans et demi. Toutefois, à la différence de l'homme, un poulain achève les trois quarts de sa croissance dans sa première année. Pendant les quatre premières semaines, la taille croît d'un tiers environ. Le développement ralentit alors légèrement, puis, entre six et douze mois, le poulain grandit de nouveau rapidement. Son corps s'étoffe et son tour de taille augmente.

FLPA/Sunset

DES PREMIERS MOIS DÉCISIFS POUR LA CROISSANCE

Un poulain privé d'exercice et mal nourri, particulièrement dans le premier mois de sa vie, connaît fatalement des problèmes de croissance. Il ne peut développer un squelette solide et n'atteint jamais pleinement sa taille adulte. A l'âge adulte, il risque fort de présenter des pieds à problèmes, des membres faibles, un dos défectueux. Toute sa santé et sa vigueur potentielles sont compromises.

DES INDICES QUI NE TROMPENT PAS

Divers indices permettent de déceler la malnutrition du poulain. Un jeune cheval affamé a l'air fatigué, il est amaigri et reste souvent serré contre sa mère. Il cherche constamment à téter. Un poulain rassasié, lui, est bien arrondi. Sa robe est brillante, son œil pétillant. Ses réactions sont vives. Il passe sa vie à se nourrir, à dormir et, bien sûr, à jouer!

Le saviez-vous ?

Pour le jeune poulain, la tétée n'est pas seulement un moyen de se nourrir : moment de contact avec sa mère, c'est aussi un plaisir qui le comble et lui apporte un profond sentiment de sécurité. Le sevrage doit donc être fait très progressivement et le plus tard possible.

La joie de vivre et le bien-être des premières années déterminent aussi la vitalité et le tempérament du cheval adulte !

BON A SAVOIR

Dès que ses dents de lait poussent, le poulain commence à brouter. Au départ, il broute là où broute sa mère et l'imite scrupuleusement. C'est ainsi qu'il apprend à distinguer les plantes comestibles des plantes toxiques.

G. Lacz/Sunset

Bien que le corps d'un poulain soit relativement petit, ses jambes sont presque de la même longueur que celles de sa mère. Elles permettent au poulain de courir vite, de telle sorte qu'il peut aller de front avec la horde ou s'échapper devant un éventuel danger.

Thomas/Sunset

Soins de la jument après le poulinage

Juste après le poulinage, il faut se garder de trop intervenir. C'est le moment où se nouent les liens entre la jument et son nouveau-né. Ne troublez pas ces instants fondamentaux !

Bob Langrish

LE SUIVI DES JUMENTS SUITÉES

Après le poulinage, la jument ne nécessite pas de soins particuliers, mais un suivi attentif : pré dès que possible, alimentation adaptée et beaucoup de tranquillité.

APPELER LE VÉTÉRINAIRE

La plupart des poulinages ont lieu de nuit. Le plus souvent, ils se déroulent sans difficultés et l'on découvre le nouveau-né au petit matin dans le box réservé aux mises bas. Même si tout semble s'être bien passé, il est prudent d'appeler le vétérinaire afin qu'il examine le poulain et la poulinière.

RESPECTER L'INTIMITÉ

Dans les instants qui suivent la naissance, le poulain et sa mère apprennent à se connaître. Une fois que la jument a léché son poulain, que celui-ci s'est levé et a pris sa première tétée, et à ce moment-là seulement, vous pouvez vous autoriser un bref contact avec lui: approchez-le en lui parlant, caressez-le sur tout le corps et la tête de façon douce et rassurante. Puis disparaissez: il ne faut pas trop interférer dans la relation naissante entre la mère et le poulain.

UN PEU DE TRANQUILLITÉ

Après le poulinage, la jument peut être un peu fatiguée. La mise bas représente un effort important, le poulain sollicite constamment son attention, l'allaitement qui commence lui prend une bonne partie de son énergie. La nature ayant prévu tout cela, aucun soin particulier n'est nécessaire. Contentez-vous de surveiller de loin que tout se déroule bien. Nourrissez la jument selon les conseils du vétérinaire : attention, une alimentation trop riche peut être néfaste! Accordez-lui beaucoup de tranquillité, si possible au pré.

La jument et le poulain doivent pouvoir établir leurs premiers contacts tranquillement. N'intervenez pas tant que le poulain n'a pas pris sa première tétée. Les premiers jours, ne dérangez pas trop la mère et son nouveau-né : deux ou trois visites de quelques minutes par jour suffisent.

Dans la nature, un poulain est capable de suivre le troupeau quelques heures après sa naissance. Il ne faut donc pas hésiter à le mettre au pré dès que possible.

Kit Houghton

Sorrel

Sorrel

LE BON GESTE

Il faut s'assurer que le poulain parvient à téter dans un délai maximum de trois heures afin qu'il avale le précieux colostrum sécrété par sa mère juste après la naissance. Dans un premier temps, il ne faut pas chercher à aider le nouveau-né : vaincre cette première difficulté est essentiel pour lui. Mais s'il ne parvient pas à se mettre debout ou à trouver les mamelles de sa mère après une ou deux heures, il faut intervenir.

LE PRÉ DÈS QUE POSSIBLE

Le meilleur des fortifiants, pour la jument comme pour le poulain, c'est une bonne pâture. Si le temps est trop froid, il est parfois difficile de mettre la mère et le poulain dehors toute la journée. Guettez les heures où la température est la plus douce pour leur accorder une sortie. C'est essentiel pour le moral de la jument et pour le développement du poulain, qui découvre le monde et commence à se dégourdir. Dès que le temps le permet, pré toute la journée! Les premiers jours, donnez-leur un pré pour eux seuls, mais rapidement vous pouvez les mettre avec d'autres juments ayant des petits. Cette compagnie est nécessaire pour sociabiliser le poulain.

LES COMPLICATIONS POSSIBLES

Les soins lors des premières heures devraient, le plus souvent, se limiter à une observation attentive, simplement pour alerter le vétérinaire au cas où quelque chose se passerait mal.

UNE COMPLICATION FRÉQUENTE

La complication la plus fréquente du poulinage est la rétention du placenta. Normalement, la jument doit expulser les déchets placentaires dans les deux à trois heures qui suivent la naissance du poulain. Surveillez la poulinière pour être sûr que tout se passe normalement. Pendant cette phase d'attente, il est prudent de faire un nœud avec les enveloppes du poulain qui pendent de la vulve. On évite ainsi que le poulain et la mère ne marchent sur ces tissus.

Si un morceau de placenta reste dans la vulve de la jument, il faut recourir au vétérinaire. Ce dernier pratiquera une injection d'ocytocine afin de déclencher l'évacuation du placenta. Si celle-ci n'intervenait pas dans les sept à huit heures qui suivent la naissance, la poulinière devra être mise sous antibiotique et sous anti-inflammatoire. Le vétérinaire sera peut-être alors amené à extirper lui-même les déchets coincés dans l'utérus.

Gros plan

Peu de temps après le poulinage, dans les trois à douze jours, la jument connaît une courte période d'œstrus (qui dure de deux à sept jours). C'est ce que l'on nomme les chaleurs de lait. Il faut les guetter si l'on souhaite que la poulinière produise un poulain tous les ans. Dès qu'elle se montre réceptive aux sollicitations du souffleur, il faut sans attendre procéder à la saillie avec l'étalon choisi.

SURVEILLER L'ALLAITEMENT

Il faut également surveiller que l'allaitement se passe bien, ce qui est généralement le cas. Examinez attentivement les mamelles pour détecter une éventuelle mammite. Assurez-vous que le petit tète normalement – les mamelles ne doivent être ni dures ni très gonflées – et que les trayons sont encore humides de la dernière tétée.

BON A SAVOIR

Si le poulain naît en début d'année, il peut être nécessaire de donner un supplément de foin ou de grain à la mère. Si le poulain naît normalement à la fin du printemps, les prairies sont le plus souvent assez grasses pour alimenter la jument. Comptez un hectare par poulinière.

Kit Houghton

Le sevrage

*Longtemps pratiqué par les éleveurs, le sevrage brutal est aujourd'hui contesté
par de nombreux spécialistes. Si votre poulain doit être sevré, donnez-lui le temps
de s'habituer en douceur à sa nouvelle indépendance !*

Bob Langrish

INTERROMPRE L'ALLAITEMENT : UN ACTE ARTIFICIEL

Le sevrage consiste à interrompre l'allaitement d'un jeune poulain, de façon artificielle, au moment où cela paraît nécessaire pour la santé de la jument ou pour l'intérêt de l'éleveur.

L'OFFRE ET LA DEMANDE

La lactation (production du lait par la jument) est un mécanisme soumis au principe de l'offre et de la demande. Plus le poulain tète, plus la jument produit de lait, moins il tète, moins elle en produit.

Chez la jument vivant en liberté, le lait se tarit très progressivement. Lorsque le poulain grandit, il broute de plus en plus, passe de plus en plus de temps avec les autres poulains et tète moins fréquemment. Cependant, il suffit qu'il tète une ou deux fois par jour pour que la lactation persiste.

BON A SAVOIR

Durant le sevrage, il faut aider le poulain à s'adapter à sa nouvelle alimentation par l'adjonction d'un complément alimentaire spécifique. C'est également le bon moment pour lui donner un vermifuge.

Le coin du pro

Bien que cela paraisse cruel, il est préférable d'éloigner suffisamment la jument et son petit pour qu'ils ne puissent plus communiquer. Tant qu'ils s'appellent, ils cherchent à se rejoindre à tout prix et risquent de se blesser sur les clôtures.

AU-DELÀ DE L'ALLAITEMENT

Au sein d'un troupeau, la jument pleine près du terme écarte généralement son poulain précédent pour qu'il cesse de téter et cède la place au second. Mais une relation étroite entre la mère et son petit se poursuit souvent jusqu'à la maturité sexuelle de ce dernier. Si c'est un mâle, il sera écarté de la harde entre deux et trois ans. Si c'est une jument, elle prendra sa place dans le troupeau en devenant mère à son tour.

NE PAS AGIR CONTRE LA NATURE

Dans les élevages, l'homme intervient souvent pour procéder à un sevrage artificiel. Jusqu'à une époque récente, les éleveurs séparaient un beau jour le poulain de sa mère sans autre forme de procès. Au cours d'un sevrage de ce type, les cris déchirants émis des deux côtés disent assez combien ce geste cruel est contre nature.

Aujourd'hui, heureusement, on commence à admettre qu'un sevrage brutal est traumatisant et nocif pour la mère et pour le poulain et, de surcroît, peu justifié.

POURQUOI SEVRER ?

L'allaitement mobilise une bonne partie de l'énergie de la jument. Si cette dernière est pleine, il est bon d'interrompre la lactation afin que le fœtus profite au maximum de l'apport alimentaire et des forces vives de sa mère.

Si la jument n'est pas pleine, le sevrage peut être justifié dans le cas d'une jument de sport ou de loisir que l'on souhaite remettre au travail. Travail et allaitement ne sont pas incompatibles, mais l'accumulation des deux entraîne une fatigue importante qui risque d'user prématurément l'animal.

Si vous n'avez pas de compagnon de jeu à offrir à votre poulain pendant le sevrage, tenez-lui souvent compagnie.

Sorrel

Le jeune poulain continue long-temps à jouer avec sa mère et à apprendre beaucoup d'elle.

Kit Houghton

LE SEVRAGE N'EST PAS OBLIGATOIRE

Si la jument n'est pas pleine et qu'elle ne reprend pas un travail régulier, on peut laisser le poulain téter aussi longtemps qu'il le souhaite à condition de procurer à la mère une nourriture riche et abondante et, éventuellement, des compléments alimentaires.

Le poulain à qui l'on procure un début d'éducation et des compagnons cessera de lui-même de téter avant un an.

SEVRER PROGRESSIVEMENT

Le but du sevrage est de faire cesser la lactation, non de séparer la mère et le poulain définitivement.

UNE QUESTION D'ÉQUILIBRE

La mère continue d'éduquer son poulain assez longtemps. Pour son bon équilibre psychologique et son complet développement, le petit doit recevoir les soins, l'attention et l'enseignement maternels jusqu'à sa maturité. Une séparation brutale marque le poulain définitivement.

FAIRE DIVERSION

Le sevrage ne doit en aucun cas intervenir avant les six mois révolus du poulain. Pour réduire la lactation, vous devez espacer les tétées. Pour cela, vous pouvez éloigner la mère ou le poulain quelques heures par jour d'abord, puis de plus en plus longtemps. Pour que tout se passe au mieux, il est préférable de mettre le poulain en compagnie d'autres poulains avec lesquels il pourra jouer ou avec des chevaux plus âgés qu'il connaît déjà.

SIX SEMAINES POUR DEVENIR GRAND

Séparez, par exemple, le petit de sa mère tous les matins, pendant une ou deux heures, durant une à deux semaines. Pendant les deux semaines suivantes, séparez-les cinq ou six heures d'affilée. Autorisez encore deux tétées par jour pendant quelques jours, puis séparez la mère et le poulain pendant 12 h, puis 24 heures un jour sur deux. La lactation ne sera complètement interrompue qu'au bout de six semaines environ. Dès que le lait est tari, on peut réintroduire le poulain et sa mère sur le même pré.

BON POUR LE MORAL

Lorsqu'il vit dans un troupeau libre ou en semi-liberté, le poulain s'éloigne très progressivement de sa mère. Peu à peu, il explore le monde, joue de plus en plus avec les autres poulains et se met à manger par lui-même, ne tétant plus qu'occasionnellement. Le lait de la jument se tarit doucement en même temps que le poulain devient autonome. Si vous le pouvez, accordez à votre jument et à son poulain le temps nécessaire pour un sevrage naturel.

Le bon geste

Le meilleur remède contre le « blues » du sevrage, c'est la compagnie d'autres poulains. Le besoin de jeu est tel qu'il mobilise largement l'attention du petit séparé de sa mère. Le contact rassurant de ses congénères contribue aussi à amoindrir son inquiétude. La technique des éleveurs consiste souvent à retirer la mère de la pâture en laissant le petit avec les autres juments et leurs poulains et à introduire une nouvelle jument non suitée.

Le tout jeune poulain ressent une profonde détresse dès qu'il est séparé de sa mère. Il sait qu'il est en danger. A six mois, il montre déjà plus d'indépendance, mais la séparation provoque encore une grande inquiétude et beaucoup de souffrance.

Le poulain après le sevrage

Après le sevrage, et jusqu'à deux ans, le poulain est surtout occupé à grandir.
Il faut respecter et favoriser sa croissance, c'est-à-dire lui accorder une vie libre
et sans vrai travail – sans négliger pour autant son éducation.

Bob Langrish

Les poulains portent, de un an à deux ans accomplis, le nom de yearlings.

Bob Langrish

Sorrel

DEUX OBJECTIFS À NE PAS MANQUER

Les deux grands objectifs pour cette période, qui va de 6 mois à 2 ans, sont la croissance du poulain et son éducation – vie sociale et apprentissage.

L'ADAPTATION APRÈS LE SEVRAGE

La période dite de l'« après sevrage » recouvre une réalité variée : en cas de sevrage naturel – hautement souhaitable –, le poulain cesse de prendre le lait maternel entre 9 mois et 1 an. Le sevrage autoritaire fait par les éleveurs survient, lui, vers 6 mois. Les problèmes de l'après-sevrage ne sont pas tout à fait les mêmes dans les deux cas, notamment en ce qui concerne l'alimentation du jeune animal.

Le saviez-vous ?

Jusqu'à 18 mois, mâle et femelle ont une silhouette et un développement identiques. Mais entre 18 et 24 mois, le dimorphisme sexuel s'accentue. A l'âge adulte, les juments pèsent en moyenne 10 % de moins que les étalons.

EN DOUCEUR

Pendant la période qui suit le sevrage, le poulain doit s'adapter à une vie nouvelle. Dans le cas du sevrage naturel, la transition se fait en douceur et le processus d'adaptation est largement entamé. Dans le cas d'un sevrage brutal, en revanche, le poulain risque de se montrer perturbé pendant quelques mois. Il est du devoir de l'éleveur de s'assurer que la transition se fait sans traumatisme important, aussi bien du point de vue de l'alimentation que du point de vue de sa vie sociale et de son apprentissage.

L'ALIMENTATION

Le poulain commence très tôt à brouter en imitant sa mère. A six mois, son temps de pâturage représente déjà 80 % du temps de pâturage d'un adulte. Il doit avoir été habitué à consommer du fourrage et du grain auprès de sa mère avant le sevrage, afin qu'il n'y ait pas de rupture brutale dans son mode d'alimentation et qu'il parvienne à compenser par ces aliments, si nécessaire, la soudaine privation du lait maternel. L'alimentation du poulain est fondamentale pour son bon développement. L'équilibre de ses rations et leur augmentation entre le sevrage et 2 ans doivent être contrôlés rigoureusement.

BON POUR LE MORAL

Des études scientifiques ont démontré que la qualité des rapports entre l'éleveur et ses poulains avait une incidence sur le développement de ces derniers. Le stress provoque, en effet, la production d'hormones, des corticoïdes, qui ralentissent la croissance. Une familiarisation précoce en douceur et des manipulations bienveillantes font de beaux poulains !

Un bon apport en protéines, notamment, est fondamental. Une alimentation trop pauvre nuit au bon développement du squelette et des muscles. Mais une alimentation trop riche est également dangereuse. Les conseils du vétérinaire sont indispensables durant cette période.

Sorrel

Le saviez-vous ?

Les os longs (membres) du poulain ont déjà atteint 73 % de leur croissance définitive à la naissance. Sa silhouette s'inscrit dans un rectangle vertical. Quand le poulain est âgé de 1 an, ses membres sont à 90 % de leur taille adulte. Entre 12 et 24 mois, il se met enfin à pousser en longueur et en largeur. A deux ans son corps a atteint 95 % de sa longueur adulte. Sa silhouette s'inscrit alors dans un carré.

SOCIABILITÉ ET CAPACITÉ D'APPRENTISSAGE

Le jeune cheval doit recevoir une éducation qui lui permette de développer de bons rapports sociaux avec ses congénères et avec l'homme.

JAMAIS SEUL

Il est important de ne pas élever un poulain seul, car c'est en compagnie d'autres chevaux qu'il apprendra à respecter la hiérarchie sociale, à communiquer, à s'adapter à son environnement. Sa mère a beaucoup de choses à lui enseigner jusqu'à un an. Après le sevrage, qui doit survenir le plus tard possible, le poulain ne doit pas être coupé des autres chevaux. Pendant la période de sevrage, il faut s'efforcer de le mettre au pré avec d'autres jeunes qui viennent aussi d'être sevrés. Ensuite, il est bon qu'il réintègre la communauté, car les juments adultes dominantes continuent d'éduquer les plus jeunes.

Le manque d'exercice nuit au bon développement musculaire et squelettique. Mais une utilisation précoce et intensive des poulains est également nocive. Par conséquent, élevez votre poulain en liberté, au pré !

LES CAPACITÉS D'APPRENTISSAGE

Pendant sa jeunesse, le cheval apprend beaucoup de choses. Mais, tout comme un enfant, il apprend aussi à apprendre : il développe sa capacité d'apprentissage. Nous ne pouvons guère intervenir sur son apprentissage de cheval, qu'il fait auprès de ses congénères. Mais nous pouvons nous efforcer de lui donner le goût d'apprendre auprès de l'homme. Il faut lui inculquer le respect et la confiance dans l'homme en lui proposant des apprentissages variés et ludiques reposant toujours sur le renforcement positif. Il convient, dès le sevrage, de consacrer chaque jour des séances à ce travail d'apprentissage. Les exercices les plus simples conviennent : marcher en main, accepter le pansage, donner les pieds, apprendre des ordres vocaux en main et en liberté, accepter des harnais, etc.

LE COIN DU PRO

On suit la croissance du poulain en surveillant différents paramètres, le principal et le plus évident étant la prise de poids. On parle de gain moyen quotidien (GMQ) exprimé en grammes ou en kilos. Ce GMQ varie selon l'âge du poulain: les trois premiers mois, il peut prendre jusqu'à 3 kg par jour ! Vers 6 mois, âge classique du sevrage artificiel, le poulain atteint environ 45 % de son poids adulte. Le GMQ est compris entre 850 g et 1300 g selon les races. Après le sevrage, le GMQ baisse progressivement pour arriver, à 18 mois, à une moyenne de 500 g. A cet âge, le poulain a atteint entre 70 et 80 % de son poids adulte.

Bob Langrish

Le poulain après deux ans

Deux ans, c'est un peu l'adolescence du poulain. L'enfance s'achève et pendant un temps,
pas encore adulte mais plus tout à fait poulain, le jeune cheval poursuit doucement sa croissance.
Il n'est pas encore question de le monter, mais l'éducation se poursuit.

Bob Langrish

LA CROISSANCE SE POURSUIT

Si la courbe de croissance s'infléchit nettement après deux ans, elle se poursuit néanmoins.

UNE COURBE IMPRESSIONNANTE

La croissance d'un poulain est très spectaculaire dans les premiers mois et reste très
rapide pendant les deux premières années
du jeune animal. Un ralentissement progressif s'opère entre un an et 18 mois, un
second infléchissement assez net interve-
nant entre 18 mois et deux ans, période
pendant laquelle le poulain atteint 80 % de
son poids adulte.
Toutefois, celui-ci n'atteindra pas sa pleine
maturité avant environ 5 ans (3 ans et demi
si c'est un pur-sang).

TROP TÔT POUR PORTER

Vers deux ans, le corps du poulain s'inscrit
grossièrement dans un carré : il est encore
tout en jambes, son tronc n'a pas atteint ses
vraies proportions. À l'âge adulte, son corps
tiendra dans un rectangle. Cette conformation prouve qu'à deux ans les forces du poulain sont encore mal réparties et que son
dos manque de résistance. Sa croissance
osseuse n'est pas achevée et doit être
consolidée. Il n'est pas prêt pour porter un
cavalier sans que son squelette en souffre.

LES DERNIERS MOIS

Sauf pour les pur-sang de course qui sont
mis à l'entraînement dès 18 mois, c'est
entre deux et trois ans que les chevaux
vivent généralement leurs derniers mois
d'insouciance.

Bob Langrish

Entre deux et trois ans, le jeune cheval peut absorber de nombreux apprentissages : sa mémoire est encore comme neuve.

EN LIBERTÉ

Chez les chevaux libres, la période de 24 à 30 ou 36 mois est bel et bien l'ultime moment d'insouciance : avec la maturité sexuelle, les juments commenceront bientôt à pouliner et devront assurer leur rôle de mère, tandis que les jeunes mâles seront écartés du troupeau et devront aller chercher fortune ailleurs.

À cet âge qui est un peu l'adolescence des chevaux, les jeunes s'affrontent souvent entre eux et ne cessent de chercher les limites de leur liberté dans le groupe. Il arrive souvent qu'un poulain de deux ans soit banni temporairement pour s'être mal comporté : c'est l'âge où il apprend, non sans peine, à devenir adulte.

EN CAPTIVITÉ

La plupart des poulains domestiques passent l'essentiel de leur troisième année de vie au pré. On les sépare souvent des poulinières et des plus jeunes, ce qui est regrettable car ils ont encore besoin de recevoir des enseignements de leurs aînés. Parmi les « bandes de jeunes » qui vivent ensemble au pré règne souvent une certaine anarchie qui laisse trop de place aux comportements agressifs et turbulents. L'idéal serait donc qu'après deux ans, et jusqu'au moment de la mise au travail, le poulain continue à vivre dans un groupe varié avec des juments dominantes, des jeunes et un mâle, afin de parfaire son apprentissage social.

LES BÉNÉFICES D'UN ENTRAÎNEMENT PRÉCOCE

S'il n'est pas souhaitable de commencer à faire travailler un cheval sous la selle avant qu'il ait trois ans, un entraînement progressif dès deux ans peut être profitable.

COMMENÇONS EN DOUCEUR

Si le poulain a été régulièrement manipulé depuis sa naissance, à deux ans il a déjà reçu une éducation de base. Il doit être régulièrement brossé, il doit savoir donner les pieds, accepter les interventions du maréchal-ferrant et du vétérinaire.

Vous pouvez dès lors lui apprendre à accepter une couverture, un surfaix, la selle et la sangle, le tout en douceur. Passez-lui aussi un filet, que vous laisserez en place plusieurs fois quelques minutes avant de l'accoutumer à le garder plus longuement.

Le coin du pro

Que fait-on avec un « deux ans » en longe ? On lui apprend à se familiariser avec le langage corporel du longeur (ou du dresseur si on travaille en liberté), avec la longe elle-même et la chambrière. On l'initie aux ordres vocaux en demandant des changements d'allure, des maintiens de l'allure, des arrêts, l'immobilité. Tout apprentissage est bon et profitable dès l'instant ou il est mené avec clarté et accompagné de nombreux renforcements positifs.

Le bon geste

Vous pouvez, bien sûr, aller chercher le poulain au pré au moment de la séance de travail mais, s'il n'est pas encore bien éduqué, cela risque de tourner à la course poursuite – un contre-apprentissage lourd de conséquences. Mieux vaut donc l'attraper au moment de la distribution des rations, lui donner à manger au box et le laisser quelques heures à l'écurie avant de l'emmener travailler: il n'en appréciera que mieux sa sortie.

Vous pouvez aussi le rentrer à l'écurie pour deux ou trois jours – ce qui lui donne l'occasion de s'accoutumer à la réclusion – et émailler ce séjour de soins divers et de courtes séances de travail, avant de le remettre au pré, également pour deux ou trois jours.

EN LIBERTÉ ET EN LONGE

Il importe de poursuivre l'éducation entreprise en entamant dès lors un apprentissage en longe et en liberté, au cours de séances de travail régulières mais espacées et brèves. Surtout, ne soyez pas pressé : c'est un jeu. L'objectif est d'apprendre au poulain à aimer apprendre ! Récompensez-le beaucoup, encouragez-le de la voix, évitez de vous montrer exigeant: il s'agit de le familiariser avec le principe du travail et de l'apprentissage, dans la joie et la bonne humeur.

LE SAVIEZ-VOUS ?

Les pur-sang parviennent à maturité plus tôt que les chevaux qui sont moins près du sang. Leur entraînement commence très tôt – vers 18 mois, en général, pour les galopeurs.

Le standard du cheval

Chaque race possède son standard : taille, robe, modèle, ossature, etc.
Mais, même si votre cheval est le fruit d'un mélange indéfinissable,
vous devriez pouvoir le rattacher à un type : sa conformation appartient,
en quelque sorte, à une famille particulière de chevaux et le destine à tel ou tel usage.

Bob Langrish

LA BEAUTÉ EST RELATIVE

Dans la nature, un « beau » cheval est un cheval adapté à son milieu, qui a développé au mieux ses capacités pour bien vivre dans son environnement. C'est le barbe dans les régions semi-désertiques d'Afrique du Nord, le shetland dans les îles Britanniques battues par les vents, le haflinger dans les herbages des montagnes.

Le saviez-vous ?

Les frisons sont sélectionnés avec une rigueur particulière : les sujets qui ne correspondent pas strictement au standard de la race sont éliminés de la reproduction. Et comme ils sont forcément noirs, on a l'impression qu'ils sortent tous d'un même et superbe moule !

BEAUTÉ ABSOLUE, BEAUTÉ RELATIVE

En dehors des critères esthétiques – variables d'une personne à l'autre, d'une discipline à l'autre et d'une époque à l'autre –, il existe des critères de la beauté permettant de juger assez objectivement le modèle d'un cheval.

On appelle « beautés absolues » les points forts que l'on recherche chez tous les types de chevaux : bons aplombs, articulations fortes, tissus solides. On appelle « beautés relatives » celles qui conviennent à un certain type de cheval : l'épaule inclinée pour un pur-sang, droite pour un cheval de trait, par exemple. De même, il existe des défauts absolus (mauvais tissus, mauvais aplombs, etc.) et des défauts relatifs (épaule droite chez un pur-sang).

TROIS GRANDS TYPES

De nos jours, on distingue trois grands types de chevaux :

• les chevaux à intensité de contraction

Ce sont des modèles brévilignes: membres courts, épaule peu allongée, croupe ramassée, angles articulaires plutôt courts. Il s'agit essentiellement des chevaux de traits, massifs, possédant des muscles volumineux, une encolure courte et puissante, une épaule droite, un poitrail large. Leur corps est plutôt cylindrique. Leur centre de gravité est bas, leur masse les prédispose à la traction.

• les chevaux à étendue de contraction

De modèle longiligne, hauts sur pattes, légers et élégants, avec des angles articulaires ouverts, ils sont adaptés aux allures étendues et rapides. L'exemple type est le pur-sang.

• les chevaux de type intermédiaire ou médioligne

C'est le cheval de selle et de sport, adapté à de nombreux types d'efforts. Le selle français, le trakehner, le quarter-horse appartiennent à ce type.

UN TYPE FONCTIONNEL

Selon l'usage auquel on le destine, le cheval doit appartenir plutôt à l'un qu'à l'autre type. Savoir reconnaître un type permet de choisir un cheval en connaissance de cause. Ensuite interviennent des distinctions plus subtiles, qui permettent de rattacher l'animal à une race spécifique. L'ensemble des traits qui distinguent une race constituent le standard.

Chez certaines races, comme l'appaloosa, la robe revêt une importance particulière. Sa beauté ou sa rareté modifient beaucoup la valeur du cheval.

Sorrel

Bob Langrish

Bob Langrish

LE STANDARD

Pour chaque race reconnue, le stud-book définit des critères permettant d'évaluer la conformité d'un individu. Les éleveurs s'efforcent d'accentuer les points forts d'une race sans faire perdre à celle-ci sa personnalité et sa richesse génétique – qui pourraient disparaître à la suite d'une sélection trop acharnée, de croisements répétés ou de métissages trop généreux.

LE STANDARD : UN ENSEMBLE DE DONNÉES

Le standard d'un cheval permet en principe d'estimer ses capacités dans telle ou telle discipline. Il est également important en terme d'élevage. Mais pour juger un cheval, rien ne vaut un essai sur le terrain.

La tête du cheval doit correspondre elle aussi au standard de la race – ici un trakehner – mais il est certain qu'un chanfrein un peu concave ou des oreilles mal plantées ont moins d'impact sur les performances futures qu'une épaule trop droite ou des articulations trop minces.

Le coin du pro

Pour chaque race, le stud-book définit les robes admises. La robe n'a pas forcément une valeur en soi mais, inévitablement, un palomino chatoyant à la pâle crinière lunaire ou un grand cheval noir avec de superbes marques blanches feront plus forte impression sur les jurys – et sur les acheteurs – qu'un alezan un peu terne ou le vingt-cinquième bai de la journée.

DÉFINIR LE STANDARD

Pour connaître le standard d'une race, il faut consulter le stud-book ou s'adresser à un syndicat d'éleveurs spécialisés. Le standard prend en compte essentiellement le modèle : type, ossature, taille, conformation générale, aplombs, robe, nature du poil, des crins et de la corne, tête, etc. Les allures et la façon de se déplacer sont également importantes.

UNE IMPORTANCE INÉGALE

Si vous destinez un cheval à la reproduction, sa conformité au standard de la race sera un atout important, en particulier s'il s'agit d'un mâle. Toutefois, dans le domaine de l'équitation sportive, les résultats en compétition et le pedigree pèsent souvent plus lourd que la conformation.

On a vu réussir des chevaux qui n'avaient pas un physique de star.

Certaines races ont des standards très arrêtés. Les poulains se ressemblent alors comme les petits pois d'une même cosse. Les frisons, par exemple, sont sélectionnés avec beaucoup de rigueur et leur modèle varie peu. Chez les pur-sang ou les anglo-arabes, en revanche, on trouve de tout, aussi bien dans la taille que dans le modèle, la robe ou le tempérament.

UNE NOTION ARRÊTÉE PAR L'HOMME

Du point de vue de l'homme, un beau cheval est avant tout un cheval adapté à la tâche qu'on lui destine : le percheron ou le shire pour tracter, le pur-sang pour filer sur les champs de courses, le lipizzan pour exécuter des airs de haute école. Cette beauté est relative ; il suffit d'inverser les rôles pour s'en apercevoir. Un percheron (modèle bréviligne par excellence) ferait ricaner sur un terrain de concours, mais un pur-sang ne serait pas moins ridicule attelé à la charrue.

Initiation à l'élevage

Vous aimez les chevaux, vous possédez une jument, ou plusieurs, et vous avez envie de vous lancer dans l'élevage? Attention: même le temps de faire naître un poulain, il ne faut pas s'improviser éleveur. Préparez soigneusement votre conversion.

Sorrel

UNE RESPONSABILITÉ

Faire naître un poulain, c'est donner à l'espèce chevaline un nouveau représentant et un nouveau reproducteur. Une responsabilité qu'il ne faut pas sous-estimer!

L'IMPORTANCE DES ORIGINES

Chez les chevaux libres, la sélection se fait naturellement : les juments faibles ne sont pas fécondes ou ne parviennent pas au terme de leur grossesse. La place d'un étalon à la tête d'un troupeau est sans cesse remise en question par les tentatives de mâles plus jeunes qui cherchent à lui prendre ses juments. Dès qu'il cesse d'être le plus fort, le chef est remplacé.

LE RÔLE DE L'ÉLEVEUR

Les éleveurs tentent de reproduire le phénomène de la sélection mais en essayant de faire naître des chevaux qui serviront au mieux leurs objectifs : attelage, course, sport, etc. Pour «améliorer» une race, ils disposent de trois méthodes. D'abord la sélection, qui fait se reproduire entre eux des chevaux présentant les caractéristiques désirées. Ensuite, le croisement, qui consiste à accoupler des chevaux de deux races différentes pour améliorer l'une d'elles; les produits sont des métis. Enfin, le métissage, qui revient à croiser des métis entre eux pour tenter de fixer certaines caractéristiques.

L'attitude de leur mère étant le modèle de comportement des poulains, il n'est pas souhaitable de destiner à la reproduction des juments caractérielles.

TROUVER UN ÉTALON

Pour faire saillir une jument, vous devez d'abord vous soucier du choix d'un étalon. Les étalons des haras nationaux font des saillies pour un prix très modéré. Mais plus l'étalon a de valeur, plus votre jument elle-même doit avoir fait ses preuves en compétition ou dans les épreuves de modèles et allures.

Vous pouvez vous tourner vers les étalons privés: cela vous coûtera beaucoup plus cher, mais vous pourrez choisir le père qui vous plaît – à condition qu'il ne soit pas submergé par la demande!

Le poulain a beaucoup à apprendre de sa mère jusqu'à un an. Le sevrage brutal est une pratique cruelle et généralement injustifiée. La mère sèvrera d'elle-même son poulain peu avant la naissance du suivant.

ATTENTION, DANGER !

Trop d'éleveurs amateurs commencent leur activité en « recyclant » dans la reproduction des chevaux incapables de travailler en raison de défauts physiques ou mentaux. C'est une grave erreur, car ces défauts ont de bonnes chances de se retrouver chez les poulains, puis chez les poulains des poulains, etc.

Bob Langrish

Bon à savoir

Le devoir de l'éleveur

Les soins apportés au poulain et les conditions dans lesquelles il est élevé durant sa première année sont déterminants pour son avenir.

Un poulain élevé seul avec sa mère n'apprend pas à vivre en société : il devrait être élevé dans un groupe plus important comportant d'autres poulains.

Dès les premiers instants, il doit être familiarisé avec l'homme et accepter d'être touché et manipulé (quelques instants par jour) – avec douceur et fermeté.

COMMENT CHOISIR ?

Pour que votre poulain appartienne à une race, le père et la mère doivent eux-mêmes appartenir à cette race. C'est le premier critère. Ensuite, le père doit posséder si possible les qualités qui manquent à votre jument. Évitez, donc, d'opter pour un étalon qui présente les mêmes défauts que la mère.

Une liste des étalons des haras et des étalons privés disponibles à la monte est publiée chaque année. On choisit un étalon d'après sa race, ses origines, ses performances et les performances de ses descendants. Un éleveur, même en herbe, s'informe toujours sur les origines des chevaux qui lui plaisent. Ne négligez pas l'aspect psychologique: il est inutile d'avoir un athlète merveilleux s'il est intraitable.

Enfin, sachez que certains étalons, sans être eux-mêmes très beaux ni très performants, transmettent à leurs descendants de grandes qualités héritées de leurs aïeux.

FÉCONDATION ET GESTATION

Un futur éleveur doit connaître sur le bout des doigts le système de reproduction des chevaux.

ADRESSES UTILES

Ministère de l'Agriculture, Service des Haras, bureau de l'élevage

14, avenue de la Grande-Armée, 75017 Paris
Institut du cheval-SIRE
BP 3
19230 Arnac-Pompadour

LES CHALEURS ET LA SAILLIE

Pour qu'une jument soit saillie, il faut qu'elle soit en chaleur. Vous devez l'observer pour connaître son cycle hormonal et estimer le moment où elle sera en chaleur afin de fixer la date de saillie.

Plusieurs modes de saillie peuvent être envisagés : la monte en liberté, qui est la plus proche de la situation naturelle et enregistre le plus fort taux de fécondité; la monte en main, où l'on présente la jument en main à l'étalon; l'insémination artificielle, où l'on dépose la semence de l'étalon (prélevée auparavant) dans l'utérus de la jument.

LE SAVIEZ-VOUS ?

Si votre poulain a des « papiers », son nom doit obligatoirement commencer par la lettre qui correspond à son année de naissance. Seuls les pur-sang échappent à cette règle.

UNE LONGUE GESTATION

Une fois la jument fécondée, elle entre en gestation pour onze mois. Elle peut travailler modérément pendant les premiers mois, mais doit être mise au repos en pâture à la fin du septième mois. Son alimentation doit être progressivement adaptée. Demandez conseil au vétérinaire qui suit votre jument.

Estimez le moment probable du poulinage et surveillez la jument. Pour cet heureux événement, prévoyez l'assistance du vétérinaire.

A faire

Attention, si vous voulez que votre poulain soit reconnu, vous devez être présent à la saillie avec les papiers d'identification de la jument. L'étalonnier, lui, vous remettra un certificat de saillie. Avant le sevrage, le poulain doit être identifié sous la mère par un agent des haras ou un vétérinaire agréé. Avant le 31 décembre de l'année de naissance, vous devrez faire une déclaration complémentaire à la direction de haras de la circonscription, à la suite de quoi le SIRE (Institut du cheval) vous délivrera le livret de votre animal.

Bob Langrish

Bob Langrish

DÉBOURRAGE

Les objectifs du débourrage

Le bon débourrage n'est pas nécessairement celui qui donne un cheval bien mis, mais plutôt celui qui place le cheval dans une attitude de confiance et de respect favorable à tous les apprentissages.

Bob Langrish

LES OBJECTIFS PREMIERS

Les objectifs premiers du débourrage sont, pour le cheval, l'acceptation de la perte de sa liberté et sa soumission à l'homme, entendues comme respect et confiance en ce dernier.

LA PERTE DE LIBERTÉ

On n'y songe pas toujours assez: le débourrage, pour le jeune cheval, signifie souvent, en premier lieu, la fin de la liberté. La plupart des poulains vivent en liberté au pré. Ils sont en compagnie d'autres chevaux et, s'ils sont familiers avec l'homme, celui-ci ne leur impose que peu de contraintes.

Or, au moment du débourrage, on les sépare, en général, de leurs compagnons et on les enferme dans un box: finie la liberté!

PRÉPARER LE TERRAIN

Ce seul changement est traumatisant pour un jeune cheval, qu'on arrache brusquement à sa vie naturelle et qui souffre soudainement d'un manque de mouvement, de jeu et de compagnie. Pour qu'il devienne cheval de selle, il faut, bien sûr, qu'il accepte cette perte de liberté et comprenne que, pour la nourriture et les sorties, il dépend de l'homme.

Toutefois, pour son bien-être physique et psychologique, il est préférable qu'il ne passe pas du jour au lendemain de la liberté en compagnie à une réclusion solitaire, et surtout qu'il n'associe pas cette privation à notre irruption dans sa vie.

DÈS SON PLUS JEUNE ÂGE

Il faut accoutumer le poulain, dès son plus jeune âge, à séjourner régulièrement au box, d'abord avec sa mère, puis sans elle. Lorsque les yearlings sont ensemble au pré, il est bon de les mettre le soir en stabulation libre et d'habituer tous les animaux à séjourner seuls, à tour de rôle, dans un box voisin le temps d'une nuit.

Si l'on associe ce moment à la distribution de la nourriture et qu'on laisse du foin à leur disposition, le poulain accepte sans histoire cette brève séparation.

Peu à peu, il faut accentuer la séparation et placer le poulain dans une autre partie de l'écurie (sans l'isoler, en le mettant près d'autres chevaux), puis procéder à cette séparation à différents moments de la journée, le temps d'un soin, d'une sieste ou d'un repas.

Hermeline/Cogis

BON POUR LE MORAL

Un jeune cheval est plein de joie et d'énergie et a besoin de se dépenser librement un peu chaque jour. Accordez-lui une sortie quotidienne au paddock et faites-en, à l'occasion, une récompense en fin de travail.

BON A SAVOIR

Dès les premiers mois, le poulain peut apprendre à accepter le licol. Après six mois, il peut commencer à marcher et à courir en main. Tant qu'il n'est pas sevré, il faut rester à proximité de sa mère pour que cet apprentissage ne provoque pas un stress intense.

Sorrel

LA SOUMISSION

On a tout intérêt à enseigner au poulain, dès les premières semaines, à se laisser manipuler par l'homme. Lors des premiers mois, le jeune animal doit accepter qu'on lui passe un licol. Il suivra d'abord le meneur en même temps que sa mère. Après six mois, on l'habituera à marcher derrière le meneur dans le pré, à s'éloigner progressivement de sa mère, puis du groupe. Après le sevrage, il faut l'accoutumer à sortir du pré derrière son meneur, à accepter des soins, à donner les pieds. Assortissez ces moments de récompenses (aliments particulièrement appréciés comme quartiers de pommes ou morceaux de carottes, par exemple) et de caresses.

Si ces apprentissages sont dispensés très progressivement et qu'on évite tout traumatisme, le jeune animal reconnaîtra de bonne heure la position dominante et bienveillante de l'homme : la soumission, ce n'est rien d'autre que cela, et il ne faut pas attendre le moment du débourrage pour l'enseigner à l'animal.

LUI APPRENDRE À AIMER LE TRAVAIL

Lorsque les deux objectifs premiers du débourrage sont atteints, il reste à s'occuper de l'objectif principal : lui faire aimer le travail !

Bob Langrish

L'APPRENTISSAGE EST UN PLAISIR

Chez un poulain qui a appris à suivre l'homme, à en recevoir des soins, à rester tranquillement dans un box, le débourrage en lui-même ne présente pas de réelle difficulté. Le dresseur doit constamment garder à l'esprit qu'il lui faut conserver la confiance et le respect de son cheval, tout en donnant à celui-ci le goût du travail.

Comme le jeune cheval vit au box, il apprend vite à considérer toute sortie

Les poulains d'un an peuvent travailler un peu en main et recevoir régulièrement des soins. Pour faciliter les choses, lors des premières séances, on peut faire travailler deux poulains ensemble – la présence rassurante d'un compagnon désamorcera une éventuelle inquiétude.

comme une partie de plaisir pourvu qu'on le fasse travailler dans la joie et qu'on respecte ses limites.

LES GRANDS PRINCIPES

Pour le jeune cheval, apprendre doit être une forme de jeu, un exercice physique et mental intéressant, distrayant, gratifiant. Pour cela, le dresseur doit respecter certaines règles.

• Commencer et terminer toutes les séances par un moment de détente sans contrainte.

• Récompenser abondamment toute réponse correcte même partielle.

• Faire des séances brèves (une vingtaine de minutes), entrecoupées de récréations.

• Varier beaucoup le travail afin de toujours maintenir l'intérêt du cheval en éveil.

• En fin de travail, accorder souvent (mais non toujours) un moment de liberté ou, quand le cheval est suffisamment débourré, lui faire faire un tour en extérieur en compagnie d'un cheval calme.

Debois/Cogis

Le travail en longe est essentiel dans le débourrage. Mais, attention à ne pas en faire un pensum.

Comprendre pour dresser

*Avant de vous lancer dans la grande aventure qu'est le dressage d'un cheval,
et quels que soient le niveau que vous visez et la discipline qui vous intéresse,
vous devez chercher à comprendre son comportement et sa psychologie.*

Kit Houghton

DRESSER : UNE SCIENCE

Il ne faut pas s'improviser dresseur si on n'en a pas la fibre. Et la « fibre » repose essentiellement sur une bonne connaissance du cheval et des techniques qui permettent de communiquer avec lui.

LA VOIE DE LA NATURE

Quel que soit le degré de dressage d'un animal, son comportement repose toujours sur ses instincts. L'instinct grégaire et l'instinct de fuite sont ceux qui interfèrent le plus souvent avec le travail du dresseur. On peut les canaliser, on peut en tirer parti, mais il faut éviter d'aller contre eux : on ne ferait que provoquer des problèmes à plus ou moins long terme.

« POTASSER »

Acquérir une bonne connaissance de la psychologie et du comportement du cheval est donc le premier devoir du dresseur. Si vous ne côtoyez pas les chevaux depuis toujours, vous avez tout intérêt à consulter quelques ouvrages spécialisés.

Plus vous explorerez de domaines et de méthodes différentes, plus vous serez à même de vous forgez une idée juste du cheval et de la bonne façon de l'aborder et de le manier.

OBSERVER LE CHEVAL

La partie théorique, indispensable, n'est pas suffisante. Vous devez apprendre à observer les chevaux en général et le vôtre en particulier. Toutes les occasions sont bonnes pour se faire une idée toujours plus précise de ce qui motive les réactions du cheval dans ses relations avec son environnement, avec ses congénères et avec l'homme.

S'OBSERVER SOI-MÊME

Avec la même assiduité, réfléchissez à votre propre comportement et à son impact sur les chevaux. Les chevaux, eux, nous observent très attentivement. Ils perçoivent notre attitude, nos gestes, nos actes, nos paroles, mais aussi des choses plus subtiles telles que nos émotions, nos craintes, notre détermination.

Si, par exemple, vous avez peur des chevaux ou d'un cheval en particulier, vous n'arriverez jamais à faire preuve de cette autorité naturelle et rassurante qui est celle du dominant. Si, à l'inverse, vous avez au fond envie de faire «copain-copain», vous vous exposez aux mauvais coups, car le cheval ne vous respectera pas.

Les grands dresseurs parviennent à obtenir « tout » de leurs chevaux. Ici, Mario Luraschi.

La connaissance du langage corporel du cheval est indispensable au dresseur. Le regard, la direction des oreilles, la position de l'encolure : tout, ici, montre que le photographe a capté l'attention du cheval.

L'AUTORITÉ BIENVEILLANTE

Pour construire une bonne relation avec un cheval, c'est-à-dire une relation sûre et gratifiante pour les deux parties, vous devez d'abord le rassurer, ensuite le dominer. Le rassurer en lui faisant comprendre que vous ne représentez pas un danger. Vous ne devez pas provoquer la peur par une attitude agressive, ni infliger la souffrance. Dans un second temps, vous devez vous affirmer comme un dominant, un leader: celui qui prend les décisions, à qui on doit le respect, mais aussi celui qui protège.

A éviter

Pour qu'un cheval puisse relier deux choses, elles doivent coïncider dans le temps ou se succéder immédiatement. Toute intervention, positive ou négative, qui n'intervient pas en même temps que le geste du cheval, ou dans les secondes qui suivent, est inutile, voire néfaste.

ASSEOIR SON AUTORITÉ

C'est à pied que vous établirez votre autorité. N'acceptez jamais un manque de respect à pied : le cheval doit vous céder la place, ne jamais vous bousculer ni esquisser de geste agressif.

CHACUN SA PLACE

Remettez fermement à sa place un cheval qui vous manque de respect, en haussant le ton et en le menaçant éventuellement avec une badine ou une longe. Le cheval acceptera votre autorité quand vous êtes sur son dos comme une sorte de prolongement des relations que vous avez établies à pied. N'espérez pas acquérir à cheval la soumission que vous n'avez pas obtenue à pied.

NE PAS SURESTIMER

Ne surestimez pas les capacités de votre compagnon. Un cheval à qui l'on demande des efforts au-dessus de ses moyens finit par être écœuré. Il risque de régresser – s'il ne devient pas rétif, vicieux ou neurasthénique. Planifiez un entraînement progressif qui construise peu à peu le cheval, psychologiquement et physiquement. Ménagez des périodes de repos en liberté, des récréations et variez le travail. Enfin, adaptez vos objectifs aux capacités du cheval.

RENFORCEMENT POSITIF

Le cheval a son intelligence à lui, avant tout destinée à lui permettre de survivre dans la nature au sein d'un troupeau. A priori, il n'y a aucune raison pour que le cheval comprenne ce que vous attendez de lui.

Le mode de vie que vous offrez à votre cheval conditionnera considérablement ses performances à long terme. Il est fait pour se déplacer librement en permanence et pour vivre au sein d'un groupe. Cela n'est pas vraiment compatible avec un entraînement intensif, mais il faut chercher à introduire au moins un peu de liberté et de compagnonnage dans la vie de son cheval si l'on veut qu'il soit à peu près équilibré et disponible.

Ne partez donc jamais du principe qu'il « devrait » comprendre. Dès qu'il esquisse la bonne réponse à votre demande, même d'un demi-sabot, votre attitude tout entière doit lui dire « c'est ça », pour le mettre sur la voie. Encouragez-le, récompensez-le souvent. Le renforcement positif, fondement d'un dressage solide et durable, permet des progrès plus rapides.

Le coin du pro

Ne prêtez pas au cheval l'intelligence qu'il n'a pas. C'est à vous de réfléchir. Le cheval ne peut dominer sa peur ou son excitation. Vous devez être capable de vous dominer quand les choses ne prennent pas la tournure attendue. Ne vous laissez jamais aller à l'impatience, à la rage ou à la peur : quand vous les sentez venir, interrompez le travail, vous ne feriez rien de bon.

L'éducation du jeune poulain

*Lorsqu'un poulain vient au monde, il lui suffit de quelques minutes
pour se mettre sur ses jambes, prêt à se déplacer vivement et à fuir le danger.
Sa mère, habituée au contact des humains, se laisse approcher, lui pas !*

L'ÉDUCATION : UNE AFFAIRE DE TACT

Comment amener le petit animal sauvage qu'est un tout jeune poulain à coopérer avec l'homme ? Comment lui faire accepter notre présence, notre contact, puis le port de la selle et le poids d'un cavalier, le carcan des brancards d'une voiture ?

LE POULAIN APPREND TRÈS VITE

A sa naissance, un poulain se trouve dans la situation d'un bébé qui ignore tout du monde dans lequel il vient d'arriver. Il apprend pourtant très vite à connaître ce qui lui est indispensable pour vivre et survivre, puisqu'il est presque adulte vers deux ans. C'est à peu près à cet âge que l'homme attend de lui des façons d'agir fort peu naturelles, qu'il va donc falloir lui enseigner.

PREMIÈRE MÉTHODE : LE DÉBOURRAGE

Débourrer un poulain, c'est le soumettre aux désirs de l'homme, lui apprendre ce que sont le licol, la selle ou, plus généralement,

l'exécution des ordres. Mais, s'il a passé ses deux premières années uniquement à jouer en totale liberté, il est difficile de lui faire comprendre ce que l'on attend de lui. Car il est vif, fort et les idées des humains lui sont étrangères! Débourrer un cheval est donc une tâche difficile.

SECONDE MÉTHODE : L'ÉDUCATION DÈS LA NAISSANCE

La seconde méthode pour amener le poulain à coopérer consiste à l'éduquer dès sa naissance et tout au long de ses premiers mois. Pour la mettre en œuvre, il faut intervenir au moment précis où il vient au monde. Son éducation doit en effet commencer dès les premières minutes de son existence. Pourquoi ? Pour qu'il sache le plus vite possible que l'homme ne peut en aucun cas lui faire de mal et que sa présence peut même lui être agréable.

LE COIN DU PRO

Ce qu'on demande à un poulain nous paraît si simple qu'on imagine trop souvent qu'il va très vite enregistrer la leçon. Mais c'est oublier que ses capacités de concentration sont faibles. Le bon éducateur lui demande peu à la fois, mais tient absolument à l'obtenir. Ses leçons s'enchaînent logiquement et très progressivement ; il donne une récompense à son élève pour tout exercice correctement exécuté.

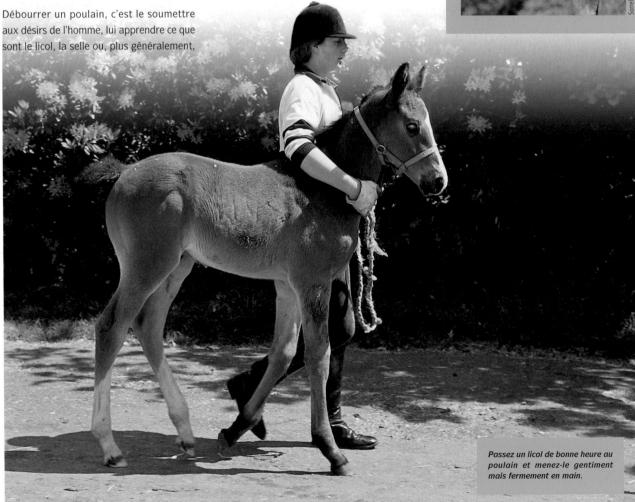

Passez un licol de bonne heure au poulain et menez-le gentiment mais fermement en main.

D'UTILES CARESSES

Dès que le nouveau-né est sur ses jambes, on le guide vers les mamelles maternelles, qu'il a souvent du mal à trouver. L'amener vers cette gourmandise vitale, c'est déjà devenir son ami. Ensuite, il convient de lui souffler longuement dans les narines, comme l'a fait sa mère dès qu'elle l'a pu, ce qui revient à lui présenter sa carte de visite (amicale !).

Jour après jour, si possible matin et soir, en profitant de la faiblesse du jeune animal, mais en évitant toute brutalité, on l'entoure de ses bras et on l'immobilise pour lui faire sentir qu'il est subordonné à l'homme. On le caresse sur toutes les parties de son corps afin qu'il constate que ces attouchements n'ont rien de douloureux. Voilà qui demande bien du temps ? Non, quelques minutes par jour seulement ! Le poulain éduqué de la sorte n'aura plus à être débourré. Et, même si l'homme l'ignore au pré durant des mois, il demeurera facile à attraper et totalement disponible pour se laisser passer le licol.

A CHAQUE PAYS SA VÉRITÉ

A quelques détails près, les chevaux ont tous la même psychologie. Les hommes non. D'un point du globe à un autre, ils emploient pour éduquer leurs chevaux des méthodes différentes. Des méthodes qui varient aussi en fonction du service ou du travail qui sera demandé au cheval.

CAVALIERS « MACHOS »

Les Argentins affirment que « les animaux se matent par la force ». On ignore chez eux ce qu'est l'éducation du poulain. Lorsque l'animal est en âge d'être monté, on l'oblige par tous les moyens à accepter la selle et le poids du cavalier. Ce qui est le pire des débourrages ! Il en est de même dans tous les pays d'Amérique latine.

L'INDIEN PRÈS DE LA NATURE

Les Indiens d'Amérique du Nord avaient un moyen très astucieux de faire accepter toutes les caresses possibles au jeune poulain ou au cheval adulte sans qu'il ait la possibilité de s'esquiver ou de se défendre : ils le faisaient entrer dans l'eau jusqu'aux épaules, ce qui l'immobilisait presque entièrement.

La méthode Miller

Il y a cent ans, aux États-Unis, les cow-boys n'avaient pas de temps à accorder à l'éducation des jeunes poulains. Ils débourraient leurs chevaux adultes par la force. Mais, depuis quelques décennies, ils emploient des méthodes plus douces, qui donnent de meilleurs résultats. Un vétérinaire, le docteur Miller, les a résumées et ordonnées pour en faire la méthode qui porte son nom et qui est maintenant connue dans le monde entier. Il y montre, par exemple, que passer un doigt dans les naseaux de l'animal est plus qu'utile – car celui-ci s'imprègne ainsi pour toujours de notre odeur.

Kit Houghton

Sorrel

Attention, danger !

Lorsqu'on joue avec un tout jeune poulain, on peut être tenté par toutes sortes de jeux amusants, par exemple poser ses antérieurs sur nos épaules, comme on le ferait avec un grand chien. Mais ce jeu est une énorme bêtise ! Car, lorsque l'animal aura deux ans ou plus, il aura encore envie de jouer, mais ne se rendra pas compte qu'il a grandi et qu'il pèse très lourd ! Il est important de toujours penser que le petit poulain deviendra grand et que ce que vous lui apprenez aujourd'hui s'inscrit dans sa mémoire pour très longtemps.

A ÉVITER

Le jeune poulain est plein d'énergie, mais son squelette est encore fragile. Il ne sera vraiment achevé et solide qu'à l'âge adulte, vers cinq ou six ans (âge variable selon les races).

Jusqu'à sa maturité, il importe de ne pas le manipuler rudement et de ne pas lui demander des efforts incompatibles avec son âge. Même s'il est débourré ou éduqué vers deux ou trois ans, il ne faut pas le monter longuement afin de ne pas déformer son ossature.

Première leçon montée

Autrefois, la première séance de débourrage tournait souvent au rodéo.
Aujourd'hui, le dressage éthologique a fait des émules. Le travail de débourrage
se fait progressivement, en tenant compte de la nature du cheval et de ses réactions.
Le cheval sera peut-être un peu surpris, mais il ne devrait pas être traumatisé !

Sorrel

LE PREMIER MONTÉ : UN GRAND ÉVÉNEMENT

La première fois que l'on monte un poulain est un grand événement et le cavalier ne peut s'empêcher d'être ému.

Mais le cheval, lui, doit être suffisamment préparé pour n'éprouver aucune émotion désagréable. La démonstration qui est faite ici se déroule sur plusieurs séances.

1 Pour le jeune cheval, la selle est un objet inconnu. Elle possède une odeur forte (celle de tous les chevaux sur lesquels elle est passée!) et de nombreux éléments qui grincent ou qui cliquettent. Laissez-le se familiariser avec elle.

Posez la selle et son tapis à terre ou contre un poteau et amenez le cheval à proximité. Il doit pouvoir la flairer, la pousser du nez, en faire le tour tout à son aise. Lorsqu'il s'en désintéresse, c'est qu'il la connaît.

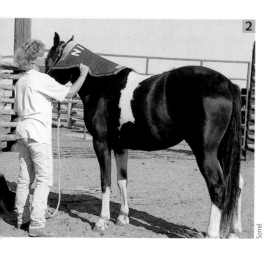

AU TRAVAIL !

Monte classique ou monte américaine, on aborde aujourd'hui le débourrage dans un esprit éthologique (en tenant compte du comportement instinctif du cheval). Le cheval est comme un compagnon à qui on enseigne les règles d'un jeu et non un adversaire que l'on soumet brutalement en lui cassant le moral.

Ramenez à plusieurs reprises le cheval dans le paddock en plaçant toujours la selle à un endroit différent. Lorsqu'il cesse de marquer la moindre surprise, il est familiarisé avec cet objet.

2 L'étape suivante consiste à habituer le cheval au contact du tapis de selle. Prenez le tapis dans la main et portez-le vers les naseaux du cheval afin qu'il l'identifie. Ensuite, approchez le tapis de son épaule, de son flanc, de sa croupe. Il risque de tressaillir au début.

Ne le « coincez » pas contre une barrière pour l'obliger à accepter ce contact. S'il a peur, reposez le tapis et passez à autre chose. Recommencez plus tard. Lorsque le cheval se laisse caresser sur tout le corps avec le tapis, placez celui-ci sur son dos, puis rapprochez-le de sa tête. Il doit finir par tolérer qu'on lui pose le tapis sur l'encolure sans marquer d'inquiétude.

3 Mettez le tapis de selle à sa place et posez la selle par-dessus, en douceur. Utilisez d'abord une vieille selle, le cheval pourrait la jeter à terre.

Bougez la selle sur son dos. S'il ne réagit pas, passez plusieurs fois votre main le long du passage de sangle, puis attrapez la sangle et fixez-la sans la serrer. Attention, cette sensation nouvelle peut surprendre le cheval. Lâchez-le en liberté ou en longe et laissez-lui le temps d'expérimenter cette nouvelle sensation.

Recommencez plusieurs fois, à des moments différents.

4 Lorsque le cheval accepte complètement la selle, passez à l'étape suivante. Il faut être deux, ou même trois.

Tandis qu'une personne tient le cheval par le licol, collez-vous contre le flanc gauche. Tapotez la selle, caressez le poulain de part et d'autre avec des gestes francs et marqués, déplacez les étriers. Petit à petit, faites des gestes de plus en plus larges. Agitez les mains au-dessus de la selle.

Bon pour le moral

Toutes ces expériences nouvelles stimulent et amusent le jeune cheval – elles le stressent et le fatiguent aussi. Ne l'écœurez pas en dépassant les limites de ses capacités d'attention et de sa patience.

Contentez-vous de séances de travail très brèves, une ou deux fois par jour. Félicitez beaucoup le cheval et encouragez-le de la voix.

5 Lorsque le cheval ne réagit plus, faites-vous aider et posez-vous en travers de la selle, comme un sac. Ensuite, recommencez à manipuler les étriers et à agiter les bras. Le cheval s'habitue progressivement à votre poids et aux mouvements qu'il perçoit sur son dos. Laissez-le renifler vos jambes et vos bras.

Dès qu'il ne réagit plus, la personne qui tient le licol lui fait faire quelques pas avec sa charge.

A la moindre alerte, vous pouvez glisser à terre.

6 Il faut maintenant vous mettre vraiment en selle. C'est un moment décisif et l'un des plus effrayants pour le poulain: il voit soudain le buste du cavalier se dresser sur son dos. Son instinct lui crie de fuir cette masse plus haute que sa tête.

Afin de ne pas faire de gestes brusques, demandez qu'on vous aide à passer la jambe par-dessus la croupe. Une fois là, redressez très progressivement le buste.

Tout au long de cette opération, parlez au cheval d'une voix apaisante et caressez-le.

7 Redescendez aussitôt et félicitez abondamment le cheval. Interrompez le travail et reprenez-le lors d'une autre séance. Lorsque le cheval ne réagit plus à l'apparition de votre buste, la personne qui le tient le fait marcher dans tout le paddock.

Voilà, le cheval accepte désormais d'être monté ! Poursuivez le dressage avec patience et douceur, toujours de façon très progressive : on aborde une nouvelle étape lorsque la précédente est parfaitement acceptée et comprise.

LE COIN DU PRO

Pour laisser le cheval faire connaissance avec la selle, utilisez le vrai tapis (pour l'odeur) mais choisissez de préférence une selle hors d'usage.

La toute première fois, il se peut que le cheval cherche à la mordiller ou à la déplacer avec le pied. C'est pour lui une façon d'identifier l'objet. Mais, par la suite, apprenez-lui à respecter le matériel : cette règle vous évitera bien des déboires.

LE BON GESTE

Vous avez tout intérêt à répéter toutes les opérations des deux côtés. Dans la pratique, la plupart des manipulations se font à gauche, mais il est préférable que le cheval accepte vos gestes indifféremment à droite ou à gauche.

Si vous craignez les réactions du cheval, vous pouvez employer un caveçon, qui permet un contrôle plus important que le licol. Le cheval doit toutefois y avoir été habitué.

Après la première leçon montée

Une fois que le poulain a accepté l'idée que l'on puisse lui monter dessus,
il faut lui inculquer les éléments de base de son éducation de cheval monté :
en avant, stop, on tourne !

Bob Langrish

220

LA SUITE LOGIQUE

Si le poulain a été bien éduqué en main, les premières leçons monté se dérouleront dans le calme. Soyez précis et… bref !

1 Avant de monter, procédez à un bref échauffement en longe. Il vous donnera l'occasion de faire «réviser» au cheval les ordres à la voix, qui vous seront très utiles quand vous serez sur son dos. Amenez le poulain sur la piste du rond de longe, puis éloignez-vous et donnez-lui l'ordre de marcher.

2 Poursuivez la détente avec quelques tours au trot. Demandez plusieurs transitions et quelques arrêts en utilisant la voix. Félicitez-le et caressez-le. Ne travaillez pas plus de 10 min. Ramenez le poulain au box et harnachez-le avec une selle, un filet et un caveçon, puis amenez-le dans la carrière ou le manège. Vous devez vous faire aider pour la suite du travail.

3 Attachez la longe au caveçon. La personne qui vous aide tient le poulain pendant que vous montez, puis elle le mène à la longe sur la piste. Ensuite, le poulain doit rester arrêté. Le longeur s'éloigne. En même temps que vous donnez au cheval l'ordre vocal d'avancer, fermez vos jambes pour exercer une nette pression du mollet. Si besoin est, le longeur encourage le mouvement en avant. Dès que le cheval se porte en avant, caressez-le. Surtout, ne gardez pas vos jambes serrées une fois que le cheval marche.

4 En inclinant légèrement votre buste en arrière, dites «Oooh» (ou le terme que vous avez choisi pour arrêter le cheval) en fermant les doigts sur les rênes pour exercer une tension assez franche, explicite. Le longeur se déplace vers l'avant-main pour souligner votre ordre. Dès que le cheval s'arrête, rendez les rênes et félicitez-le abondamment. Recommencez la mise en marche et l'arrêt deux ou trois fois.

Au travail !

Cette leçon type concerne un cheval déjà familiarisé avec le filet et la selle, qui accepte d'être monté et qui a déjà travaillé suffisamment en longe pour obéir aux principaux ordres donnés à la voix.

5

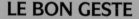

5 Essayez ensuite de faire comprendre au cheval le principe de la direction: écartez la main droite pour tourner à droite, en rendant franchement la rêne gauche. Encouragez le cheval à se porter en avant afin qu'il ne s'arrête pas. Le longeur encourage le mouvement en se déplaçant dans la bonne direction. Recommencez deux ou trois fois de chaque côté, puis accordez une récréation au poulain.

6 Si vous avez le sentiment que le cheval a compris ce que vous attendez de lui – ce qui ne se fait en une séance – la longe peut être retirée. Le longeur restant près de la tête du cheval, marchez sur la piste et redemandez quelques départs et quelques arrêts. Tournez ensuite pour décrire un grand cercle à chaque main. Pendant tout ce travail, le longeur évite d'intervenir mais reste à hauteur de l'épaule du cheval, prêt à le canaliser si nécessaire.

N'abusez pas de la patience du cheval: toutes ces nouveautés l'intéressent mais le fatiguent. La séance ne devrait pas dépasser 20 minutes.

7 A la séance suivante, commencez le travail avec un cheval longé, le temps de réviser les connaissances acquises. Ensuite, travaillez sans la longe. Lorsque vous vous sentez sûr de vous au pas, essayez quelques départs au trot et quelques transitions du trot au pas. Peu à peu, au fur et à mesure que le poulain progresse, les séances de travail peuvent s'allonger un peu.

6

Le coin du pro

N'oubliez pas qu'un jeune cheval a une capacité de concentration très réduite. Après 8 à 10 min de travail, il « décroche ». Pour le poulain en début d'apprentissage, une séance, même très courte, est pleine de nouveautés. Tant que son intérêt est bien éveillé, le cheval absorbe volontiers ce que vous lui apprenez. Dès qu'il se fatigue ou s'ennuie, il se désintéresse de ce que vous faites. Il n'a plus envie d'apprendre.

Savoir maintenir l'intérêt du cheval, donc son envie d'apprendre, est essentiel durant tout le dressage. Pour y parvenir, demandez peu à la fois, variez le travail et ne perdez jamais de vue la notion de jeu et de plaisir.

LE BON GESTE

Quand vous êtes sur son dos, le poulain vous écoute. Un bon débourrage se commence en longe, à la voix. Une fois sur son dos, continuez à utiliser la voix. Mais attention : accompagnez les aides avec l'ordre équivalent à la voix, félicitez le poulain avec une intonation chaleureuse, mais évitez de lui parler en permanence, sinon il ne vous écoutera plus.

7

Premières notions :
le contact et l'attitude

Les «premières notions» viennent à la suite du débourrage à proprement parler.
On ne les aborde que lorsque le jeune cheval est à l'aise sous la selle, qu'il retrouve la liberté
de son geste malgré la présence du cavalier et qu'il répond correctement aux aides de base.

DE BONNES BASES

Avant d'aborder le problème du contact et de l'attitude, assurez-vous que votre poulain est dans l'impulsion, décontracté et confiant.

1 Dans un premier temps, le poulain se tient souvent dans une attitude un peu tendue, l'encolure assez haute, la ligne du dessus contractée, l'angle tête-encolure très ouvert marquant sa résistance et son appréhension.

Yvan Benoist-Gironière

Yvan Benoist-Gironière

2 Lors des premières leçons monté, on laisse au cheval toute sa liberté d'encolure, quitte à le monter avec des rênes flottantes, afin qu'il ne vienne jamais buter contre la main lorsqu'il se porte en avant. C'est fondamental pour préserver l'impulsion.

3 Au cours du débourrage, on en vient à ajuster les rênes : certains poulains se mettent alors à résister fortement à cette pression incompréhensible sur la commissure des lèvres et tirent vivement de leur côté. Il faut se garder de s'opposer par la force à cette résistance, car on ne ferait que l'accentuer.

Le coin du pro

Par intermittence

Le travail rênes ajustées ne doit pas se poursuivre au-delà de cinq minutes dans un premier temps. Ne confondez pas contact et tension constante. Gardez une main légère, qui peut encore prendre et encore rendre. C'est à travers ces nuances que le cheval abordera peu à peu la notion véritable de contact, puis, plus tard, de cession. Lorsque vous agissez, la tension s'accroît: sur la rêne droite pour tourner à droite, sur les deux rênes pour ralentir et pour s'arrêter. Lorsque le cheval répond à l'action, la tension se relâche. Le contact signifie que le dialogue est ouvert, que le cheval vous écoute : votre discours ne doit être ni tonitruant, ni assommant, ni soporifique, mais fait de brèves interventions qui laissent au cheval la possibilité de répondre.

Yvan Benoist-Gironière

4 Lorsque le poulain résiste, dites « Non ». Maintenez le contact sans tirer et engagez le poulain sur un cercle. En recherchant son équilibre, il devrait venir sur la main.
Dès que le poulain relâche la tension et baisse la tête, rendez les rênes, félicitez de la voix et flattez abondamment.

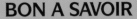

Yvan Benoist-Gironière

5 Un contact franc

Une fois cette réaction passée, on peut commencer à travailler par brèves périodes sur des rênes ajustées en maintenant un contact plutôt franc : le poulain accepte volontiers la présence de la main et vient vers elle en confiance se livre à elle. A cela, le cavalier répond par une présence franche et amicale: sans exercer de traction, ni laisser le poulain s'appuyer fortement sur le mors, il conserve des rênes tendues qui accompagnent les mouvements du cheval de façon à lui laisser toute sa liberté d'encolure.

Bon pour le moral

Résistez à la tentation d'aller trop vite : la curiosité, l'énergie et la capacité d'apprentissage de votre poulain sont ses qualités les plus précieuses. Si vous savez vous montrer patient, il les développera et les conservera toute sa vie.

RETROUVER L'ATTITUDE NATURELLE

Une fois qu'il se sent en confiance et qu'il sait comment gérer votre poids et votre présence, le poulain doit peu à peu reprendre une attitude naturelle, décontractée: étendue, avec l'encolure plutôt basse, le chanfrein un peu au-delà de la verticale.

L'ÉQUILIBRE AVANT TOUT

La modification progressive de l'attitude suit l'évolution de l'équilibre du cheval. Le tout jeune poulain est naturellement sur les épaules. Au fur et à mesure qu'il parvient à se redresser, il relève la base de l'encolure et son chanfrein s'abaisse. Ce redressement ne doit pas provenir d'une contrainte artificielle imposée sur l'avant-main, mais d'un travail général qui permet au poulain d'engager mieux ses postérieurs sous sa masse, de se déplacer de façon plus élastique et plus souple, son poids se reportant en partie vers l'arrière-main. Evitez l'emploi des enrênements.

Bob Langrish

DEMANDER PEU, RÉCOMPENSER BEAUCOUP

Ne cherchez pas à placer un jeune cheval par un travail artificiel de la main : travaillez-le beaucoup au pas et au trot, sur des cercles et des changements de direction. Demandez des transitions et des arrêts. Peu à peu, votre jeune élève gagne en musculature et en souplesse. De lui-même, il se met à exécuter les exercices avec un meilleur équilibre.
C'est au cours de ces exercices bien exécutés que son attitude se redresse, d'abord de façon assez fugitive, puis plus longuement. Appliquez-vous à repérer ces brefs moments et accordez une récréation aussitôt en récompensant de la voix ou par la caresse. Ensuite, vous chercherez à prolonger cette attitude afin que le cheval se tienne bien sur tout un cercle, conserve son attitude après une transition, etc. Demandez toujours peu, sur une durée courte, et récompensez beaucoup.

Au travail !

Les aides indispensables

Bien entendu, il n'est pas question d'aborder le problème du contact ou de l'attitude avant que le jeune cheval sache répondre sans hésitation aux aides de base. On aborde les premières notions avec un poulain qui se porte en avant sans hésiter sous l'action des jambes, qui exécute des transitions simples et des arrêts brefs à la demande et qui tourne sur une action directe sans perdre l'équilibre ou modifier son allure.

Premières notions : l'équilibre

*L'équilibre est une notion fondamentale qui sous-tend
tout le travail d'un bout à l'autre de la carrière d'un cheval.
Le poulain doit d'abord apprendre à trouver son équilibre avec le cavalier sur son dos,
puis parvenir peu à peu à se redresser pour exécuter avec aisance des exercices simples.*

Kit Houghton

L'ÉQUILIBRE : UNE RECHERCHE FONDAMENTALE

De la première leçon sous la selle au Grand Prix, l'équilibre est la clé de tout dressage. On ne doit pas, cependant, lui sacrifier l'impulsion.

QU'EST-CE QUE L'ÉQUILIBRE ?

L'équilibre est la qualité qui permet au cheval de se déplacer en tous sens avec aisance, de maîtriser sa vitesse et d'affronter les accidents de terrain sans difficulté. L'équilibre du cheval est constant mais sans cesse mouvant, le poids du corps se déplaçant vers l'avant-main ou l'arrière-main, vers la droite ou la gauche, selon le mouvement effectué. Schématiquement, en termes de dressage, on peut considérer que le cheval se tient dans un équilibre horizontal (le poids étant équitablement réparti entre avant-main et arrière-main), sur les épaules (davantage de poids sur l'avant-main) ou sur les hanches (il reporte son poids sur l'arrière-main).

EN LIBERTÉ

Un cheval libre reporte spontanément le poids de son corps vers l'avant ou l'arrière, vers la droite ou la gauche, selon les nécessités du déplacement qu'il entreprend. Néanmoins, il est généralement davantage sur les épaules et, entraîné par sa masse, il se porte naturellement en avant en « courant après son équilibre ». L'ajout du poids du cavalier, juste en arrière du garrot, contribue naturellement à charger les épaules.

AJUSTER SON ÉQUILIBRE

Au moment du débourrage, un jeune cheval est généralement sur les épaules. Le travail préparatoire en longe lui permet de modifier un peu sa musculature et son équilibre. Marcher et trotter en longe l'assouplit et l'oblige à se redresser un peu. Une fois qu'il est débourré, le travail de base des premières semaines doit lui permettre de prendre la mesure des ajustements nécessaires pour conserver son équilibre quand le cavalier est sur son dos.

Bob Langrish

Le coin du pro

Le travail en longe permet d'améliorer l'équilibre du poulain en vue du débourrage : parce qu'un simple exercice régulier au pas et au trot, et sur des cavalettis, développe sa musculature et parce que le travail sur le cercle l'assouplit et l'oblige à se redresser. On peut commencer ce type de travail de bonne heure – plusieurs mois avant le moment du débourrage.

Naturellement, un cheval qui n'est pas dressé est « sur les épaules » : son poids se reporte surtout vers l'avant, son encolure étant basse et son attitude ouverte.

Sorrel

UN TRAVAIL VARIÉ ET PROGRESSIF

Dans cette perspective, on doit le faire travailler aux différentes allures, lui demander des transitions et des changements de direction, puis lui présenter de petites difficultés comme des barres au sol et des cavalettis. Dès que son niveau de dressage le permet, il faut l'emmener en extérieur en terrain varié, éventuellement derrière un cheval d'école. Franchir au pas montées, descentes, petits fossés et autres accidents de terrain est l'une des meilleures façons de développer à la fois la musculature, le souffle et l'équilibre.

L'ATTITUDE, QUESTION D'ÉQUILIBRE

L'une des erreurs le plus fréquemment commises, lors du débourrage et du dressage, consiste à croire qu'en imposant une attitude on modifie l'équilibre : c'est au contraire en modifiant l'équilibre qu'on améliore l'attitude.

LE BON GESTE

Le jeune cheval doit travailler beaucoup au pas et au trot. C'est d'abord au pas, par des changements de direction fréquents (serpentines assez lâches) et des arrêts répétés, que l'on obtiendra un certain soutien.

LA BONNE ATTITUDE

Le poulain se déplace d'abord dans une attitude assez ouverte, l'encolure basse et presque horizontale. Ses allures sont étendues et plutôt rapides : son poids l'emporte vers l'avant. Le travail sur des cercles, les changements de direction de plus en plus rapprochés, les transitions l'amèneront progressivement à se redresser et à reporter un peu de poids vers l'arrière-main.

UN REDRESSEMENT PROGRESSIF

Le travail sur le plat, les cavalettis et le terrain varié permettent au cheval d'acquérir peu à peu la musculature et la souplesse nécessaires à ce changement d'attitude. En aucun cas, le placer de la tête et le relèvement de l'encolure ne doivent être imposés de façon artificielle, par la coercition du mors ou l'usage d'un enrênement: dans ce cas, on n'obtient qu'un faux équilibre au détriment de l'impulsion. Le cheval se « rétrécit » plus qu'il ne se redresse. Au contraire, le jeune cheval doit adopter peu à peu une attitude plus haute parce que celle-ci lui permet d'effectuer plus facilement et plus confortablement les exercices demandés, qui exigent de plus en plus un équilibre horizontal et, plus tard, un équilibre sur les hanches. La recherche de l'équilibre vient du cheval – le cavalier la provoque par ses demandes.

A éviter

Dans un premier temps, il n'est pas rare que le jeune cheval s'appuie assez fortement sur le mors. Sans attendre de lui un contact aussi léger que celui qu'on attend d'un cheval mis, il ne faut en aucun cas lui laisser prendre cette habitude.

Cette tendance est particulièrement évidente lors des changements de direction, le poulain ayant tendance à se ruer littéralement dans la rêne d'ouverture. Découragez-le par des actions alternées, qui ne lui offrent aucun appui constant. Apprenez à céder et à rendre pour l'inciter à se soutenir.

Le franchissement de petits obstacles est un excellent exercice d'équilibre, qu'il faut s'efforcer de pratiquer dans une atmosphère détendue en laissant toute sa liberté d'encolure au poulain.

Premières sorties

Beaucoup de cavaliers pensent qu'on ne peut sortir en extérieur avec un poulain encore peu dressé.
C'est, au contraire, une excellente école et une nécessité pour le bien-être physique
et mental du cheval. A condition, bien sûr, de prendre les précautions qui s'imposent.

Bob Langrish

LES BIENFAITS DE L'EXTÉRIEUR

Pour le moral du poulain, et pour la réussite ultérieure de son dressage, les sorties en extérieur doivent commencer de bonne heure.

INDISPENSABLE POUR LE MORAL

Les sorties en extérieur sont indispensables pour le moral du jeune cheval, surtout s'il vit au box. Les promenades alimentent sa curiosité, satisfont son besoin de déambuler dans de grands espaces. Votre poulain se prêtera d'autant plus volontiers à l'apprentissage que vous lui offrirez quotidiennement une petite sortie.

APPRENDRE LE CALME

On ne peut attendre de contrôler parfaitement son poulain pour l'emmener en extérieur. Son énergie et son manque d'expérience provoqueront longtemps des réactions vives et imprévisibles – mais de telles réactions restent toujours possibles chez un cheval, même âgé.

En fait, les balades contribuent beaucoup au calme du poulain. Il apprend à affronter toutes sortes de situations nouvelles avec un cavalier sur le dos. Si vous savez réagir correctement, il vous fera confiance et se sentira de plus en plus capable de faire face à ce qui l'effraie.

GYMNASTIQUE NATURELLE

Les sorties en extérieur développent l'agilité du poulain monté. Au départ, il reste souvent « collé » au cheval qui l'emmène et ne regarde pas trop où il met les pieds. Mais, très vite, il s'engage sans hésiter dans les descentes et les montées, franchit de petits talus, passe dans les flaques, apprend à enjamber les troncs et à placer ses pieds correctement sur un chemin irrégulier. Ce travail en terrain accidenté, au pas et parfois au trot, développe sa musculature et son volume cardiaque.

UNE SORTIE QUOTIDIENNE

Dans un premier temps, un poulain à peine débourré se fatigue vite sous la selle : il ne faut pas le monter plus de 20 ou 30 minutes. Mais, après quelques mois de gymnastique, on peut augmenter la durée du travail. Cela permet, par exemple, d'achever systématiquement la séance par une promenade tranquille au pas, rênes longues – d'abord avec un vétéran. Véritable récréation pour le poulain, cette sortie lui laissera un souvenir d'agréable détente. Il abordera la séance suivante dans la joie.

LE COIN DU PRO

Dès le départ, apprenez au poulain à marcher aussi bien à côté de l'accompagnateur que derrière, puis devant. Il acquiert ainsi peu à peu un minimum d'autonomie. Et, surtout, il comprend que c'est vous qui l'emmenez et non l'autre cheval. Il doit vous faire confiance et se plier à vos exigences. Vous êtes le dominant, l'autre cheval vient après vous dans la hiérarchie.

Dès que le poulain est capable de s'arrêter à la demande et de respecter quelques secondes d'immobilité, il est prêt à sortir en extérieur – accompagné !

Gros plan

Le choix de l'accompagnateur

Le cheval accompagnateur servira de modèle à votre poulain. Ce doit donc être une monture parfaitement calme, capable d'affronter tous les dangers avec la plus parfaite placidité. Dans l'idéal, choisissez une jument expérimentée.

Naturellement, le cavalier accompagnateur doit lui aussi être expérimenté et d'un parfait sang-froid.

QUAND COMMENCER ?

Dès que le poulain accepte parfaitement le cavalier, qu'il ne réagit plus aux mouvements du buste ou des jambes, on peut l'emmener prudemment, mené par un longeur, faire quelques pas autour des écuries. Il est toujours préférable qu'il soit accompagné d'un cheval calme monté.

Lorsque le poulain a compris l'action des jambes, qu'il accepte de ralentir et de s'arrêter à la demande conjointe des mains et de la voix, qu'il tourne sur une rêne directe, il est prêt à sortir en extérieur.

COMMENT S'Y PRENDRE ?

Il faut procéder très progressivement, comme pour tout travail fait avec un jeune cheval.

LA PREMIÈRE FOIS

Faites la première vraie promenade à la fin d'une séance de détente (quinze minutes environ). Choisissez un « accompagnateur » calme et sûr. Demandez à la personne qui monte celui-ci de faire marcher son cheval dans le manège ou la carrière et faites marcher votre poulain à côté de lui. Ensuite, prenez la direction de l'extérieur et accordez-vous un petit tour de dix ou quinze minutes, au pas, en évitant les zones dangereuses – bord de route par exemple.

LE BON GESTE

Apprendre au poulain à s'arrêter et à rester immobile en extérieur est d'une immense utilité pour tout son dressage. Sachez toutefois tempérer vos exigences: un simple arrêt, puis quelques secondes d'immobilité. Pour un bon résultat, posez les rênes dès que vous avez obtenu l'arrêt. Reprenez-les si le cheval bouge et recommencez. Félicitez-le toujours abondamment et demandez la « remise en marche » avec douceur, afin que le cheval ne l'appréhende pas.

AUGMENTER LES DIFFICULTÉS

Répétez cette sortie plusieurs fois en habituant progressivement le poulain à marcher indifféremment derrière l'accompagnateur, au botte à botte ou en tête. Lorsqu'il est accoutumé à ces promenades, vous pouvez les prolonger, varier les trajets, trotter un peu. Amenez les difficultés une à une. Arrangez-vous pour lui faire rencontrer peu à peu, tant qu'il est accompagné d'un cheval « modèle », toutes les difficultés : montées, descentes, terrains empierrés ou profonds, sentiers encaissés, flaques et gués, bords de route, cyclistes, machines agricoles (de loin, d'abord), abords d'une agglomération.

Quand vous vous sentez en confiance, emmenez votre poulain dehors seul: d'abord pour de petits tours très sages autour des écuries, puis pour des trajets de plus en plus grands.

Ne sortez pas le poulain en extérieur sans l'avoir préalablement laissé se détendre dans le manège ou dans la carrière.

Le moral du jeune cheval

Quand on entreprend de mettre un jeune cheval au travail, on ne lui laisse pas toujours le temps de s'habituer à son nouveau mode de vie. Cette façon de faire risque d'avoir des conséquences sur son moral et sur son attitude à l'égard de l'homme.

QUITTER LA « MAISON »

Peu de poulains ont le privilège de grandir dans le lieu qui les a vus naître. C'est souvent au moment du débourrage qu'il faut partir…

TROP, C'EST TROP !

Dans beaucoup de cas, le poulain quitte l'élevage à trois ans pour se retrouver chez la personne qui l'a acheté. Bouleverser aussi soudainement son existence, c'est lui assurer un certain nombre d'expériences traumatisantes.

On vient le chercher au pré, on l'arrache à ses congénères, on l'oblige à monter dans un camion où il connaît le stress d'un premier voyage en solitaire. On l'installe dans un box, où il est isolé, loin de ses anciens compagnons, privé de liberté, d'espace, de pâture. Enfin, on lui demande des choses tout à fait nouvelles pour lui.

UN MAUVAIS DÉPART

Il ne faut pas s'étonner, dans ces conditions, que tant de chevaux font des névroses qui les rendent ombrageux. Quand cette période traumatisante, qui coïncide avec le débourrage, rassemble trop d'expériences négatives, le poulain garde un mauvais souvenir de ses débuts sous la selle et peut développer des dé- fenses dont il sera difficile de le débarrasser.

Bon à savoir

Apprendre : un plaisir

Le jeune cheval est curieux et ne demande qu'à se distraire. Il ne tient qu'à vous de faire des séances de travail des moments instructifs, distrayants et globalement positifs. Pour cela, acceptez de progresser avec lenteur et fondez l'apprentissage sur la récompense (renforcement positif).

Miriski/Cogis

LE BON GESTE

Un poulain éduqué dès son plus jeune âge, que l'on vient voir régulièrement, entre un an et trois ans, pour des soins ou un peu de travail au sol, ressentira beaucoup moins le stress du débourrage.

Bob Langrish

Régulièrement (mais non systématiquement), à la fin d'une séance de travail, emmenez-le directement au pré : c'est là une forme de récompense qu'il appréciera et qui lui fera aimer le travail.

Sorrel

Passer de l'insouciance d'une vie libre au pré...

CE QU'IL FAUDRAIT FAIRE

L'idéal, bien sûr, est d'assurer une transition très progressive entre la vie insouciante de poulain et celle, plus laborieuse, de cheval de sport ou de loisir. Pour cela, il faut commencer à éduquer le poulain de bonne heure et à introduire des séances de travail en liberté ou

Bon pour le moral

• *N'envisagez pas de prendre un jeune cheval en pension chez vous si vous devez lui imposer des conditions de vie qui risquent de lui saper le moral : son tempérament pourrait s'en trouver sérieusement gâté, il pourrait même devenir dangereux.*

• *Ne lui imposez pas la solitude. Animal grégaire, il a impérativement besoin d'un compagnon (au moins), d'autant plus que sa vie de reclus est nouvelle pour lui. Arrangez-vous avec d'autres propriétaires, hébergez des poneys ou des chevaux à la retraite ou en convalescence, bref, trouvez-lui coûte que coûte de la compagnie. Un mouton ou une chèvre peuvent, à la rigueur, faire l'affaire.*

• *Ne le laissez pas enfermé : il a besoin d'espace, de liberté, de lumière. A défaut d'un véritable pré, aménagez un paddock, un petit espace extérieur où il pourra déambuler librement, prendre des bains de soleil, se rouler, etc. S'il ne vit pas au pré, il est de votre devoir de le sortir tous les jours, de préférence en extérieur.*

même en longe dès la fin de sa première année – on peut, par exemple, aller le chercher au pré, le ramener au box avec un compagnon pour un bon repas, l'y laisser quelques heures, puis travailler 10 mn avec lui avant de le ramener au pré. En profitant des journées froides et humides de l'hiver, où il n'y a plus d'herbe à manger, on peut l'amener à l'écurie pour des périodes plus longues. Le mieux est alors de le placer dans un grand box avec un ou deux de ses compagnons de pré, ou de loger ceux-ci dans des box voisins. Évitez de l'isoler dès qu'il est à l'écurie, car cela le rend anxieux et risque de lui faire prendre en grippe ses séjours entre quatre murs.

DU RÊVE À LA RÉALITÉ

Lorsqu'on acquiert un tout jeune cheval, qu'on sépare donc de ses compagnons, on ne peut pas toujours procéder d'une façon idéale. Quelques précautions permettent cependant de préserver son moral.

LE TRAUMATISME DU VOYAGE

Dans la plupart des cas, vous ne pourrez éviter un voyage en camion. Efforcez-vous d'aller chercher vous-même votre cheval avec un camion à deux places. Emmenez à l'aller un de ses futurs compagnons d'écurie. Grâce à la présence de ce dernier, le nouveau venu se sentira moins perdu en arrivant dans sa nouvelle « maison ».

Au travail !

Une fois que votre pensionnaire s'est familiarisé avec les lieux et avec ses nouveaux compagnons et qu'il accepte gentiment vos soins, vous pouvez commencer le débourrage. D'abord au sol, puis sous la selle. Prolongez les moments de « réclusion », apprenez-lui peu à peu à accepter d'être isolé de ses compagnons pour de courts instants. Au fur et à mesure que son éducation avance, il doit apprendre à se sentir parfaitement en sécurité avec vous et à vous accepter comme dominant « de substitution ». Ce sentiment de sécurité est le meilleur garant de son moral !

PATIENCE !

Résistez à la tentation de tester aussitôt votre poulain. Accordez-lui quelques jours pour s'accoutumer à sa nouvelle vie. Laissez-le au pré ou au paddock dans la journée et rentrez-le au box le soir. Donnez le foin à ce moment afin que ce retour à l'écurie soit un bon moment. Le soir et le matin, avant de l'emmener au pré, vous pouvez le faire travailler un peu en main, procéder au pansage, bref, commencer à poser les bases de vos relations futures.

LE COIN DU PRO

Le jeune cheval, tout en étant plein d'énergie, se fatigue vite. Il a besoin de se défouler quotidiennement en liberté, mais le travail proprement dit doit toujours être court. Ne lui imposez pas d'efforts violents ou prolongés, qui auraient vite fait de le dégoûter du travail.

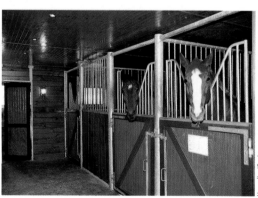

Hermeline/Cogis

... à la réclusion, c'est dur pour le moral !

Le poulain sauvage

*La plupart des manuels abordent le problème du débourrage sans envisager
la possibilité que le poulain ignore l'homme. Ce cas de figure pouvant toutefois se présenter,
il est bon de savoir comment se comporter en pareille occurrence.*

Sorrel

APPRIVOISER ET NON DOMPTER

Face à un animal sauvage, notre comportement spontané consiste souvent à entrer dans un rapport de force. Nous nous imposons en inspirant la crainte quand il faudrait convaincre patiemment l'animal que nous sommes un partenaire qu'il doit respecter.

SAUVAGE ? PAS SI EXCEPTIONNEL...

De nos jours et dans nos contrées, il devient de plus en plus rare d'avoir affaire à un jeune cheval véritablement sauvage, qui a vécu en liberté avec un troupeau. Toutefois, certaines races vivent encore en semi-liberté dans les montagnes ou dans certains parcs régionaux. C'est le cas, par exemple, de welshs et de shetlands en Grande-Bretagne, de mérens ou de pottocks en France. Dans l'Est de l'Europe, il existe de nombreuses régions d'élevage où les chevaux mènent encore une existence presque sauvage.

Sorrel

Kit Houhgton

La réclusion cause un stress intense à cet animal claustrophobe qu'est le cheval. Évitez d'associer la réclusion aux premiers contacts du poulain avec vous.

LA VIE AU PRÉ

Le poulain « sauvage » peut aussi être un poulain qui n'a pas été familiarisé avec l'homme. Par exemple, un poulain laissé au pré jusqu'à l'âge de deux ou trois ans et qui n'a pas été manipulé. Il connaît l'homme, mais n'est pas habitué à être approché par lui. On lui a peut-être passé un licol un jour, mais on ne l'a jamais attrapé ou mené en longe.

OUBLIEZ LES MANUELS !

Si vous avez acquis un cheval « sauvage », vous allez devoir déployer des efforts très particuliers. Peu de manuels – et peu de professionnels en Europe – savent comment s'y prendre avec un animal non familiarisé avec l'homme. Face à un poulain sauvage, nos connaissances académiques de cavalier sont d'un maigre secours. Oubliez l'instruction traditionnelle et penchez-vous sur les ouvrages d'éthologie (science du comportement animal) – ou faites-vous conseiller par un spécialiste.

LES BIENFAITS DE L'ÉTHOLOGIE

Les cavaliers qui travaillent en équitation western possèdent en général une bonne formation en éthologie : ils devraient donc savoir comment s'y prendre pour amorcer dans de bonnes conditions la familiarisation du poulain. Dans ce genre de circonstances, l'expérience de ceux qu'on appelle les nouveaux maîtres », qui intègrent les données de l'éthologie, sera particulièrement précieuse.

ATTENTION, DANGER !

Prenez toutes les précautions nécessaires pour préserver votre sécurité: avec un cheval en liberté, on garde toujours une longe en main afin de pouvoir l'agiter en cas de comportement agressif. Ne vous isolez pas dans un lieu clos, même assez grand, avec un cheval dont vous ignorez les réactions. Ne tentez pas d'apprivoiser seul un poulain si vous n'avez pas les connaissances requises.

APPRIVOISER AVANT DE DRESSER

Avant de pouvoir parler de débourrage, il va falloir apprivoiser votre poulain, lui faire accepter votre présence et votre contact. Vous ne pourrez mener cette tâche à bien sans une connaissance réelle de la psychologie et du comportement équins. Il vous faut véritablement apprendre à « parler cheval », c'est-à-dire à décoder le langage du cheval, mais aussi à faire passer correctement vos messages.

UN CONTACT DIFFICILE

Lorsqu'un poulain a passé plusieurs mois ou plusieurs années au pré sans être manipulé, ses premiers contacts avec l'homme lui laissent souvent, hélas, de mauvais souvenirs.

LE MAUVAIS DÉPART : À ÉVITER ABSOLUMENT !

Tel sera le cas si plusieurs personnes se livrent à une sorte de «traque» pour coincer le poulain, pour l'attraper, puis le pousser malgré lui dans un camion ou dans un box. Il se sent d'abord pour-chassé, ensuite séparé de ses congé-nères et empêché de fuir. Cette situation crée un double sentiment d'insécurité et bafoue à la fois son instinct de fuite et son instinct grégaire. Le poulain ainsi traité deviendra un animal nerveux qui vous considérera avec méfiance, voire avec terreur, au lieu de vous accorder sa confiance.

Plus il est manipulé de bonne heure, plus le poulain sera facile à dresser. Même s'il vit au pré ou en semi-liberté, il doit être régulièrement en contact étroit avec l'homme et accepter le licol dès ses premières semaines. Cela évitera plus tard le phénomène du poulain «sauvage».

Le saviez-vous ?

Le rodéo américain traditionnel consis-tait autrefois à monter des mustangs sauvages. Aujourd'hui, les chevaux sau-vages se font rares. Pour garantir les réactions spectaculaires de l'animal, on lui passe une sangle autour du fourreau qui provoque une douleur intense. Ce sport cruel est heureusement presque inexistant en Europe.

LA BONNE ATTITUDE

N'entamez pas la relation avec votre pou-lain, aussi farouche soit-il, comme un com-bat : il s'agit d'apprivoiser, non de dompter. Observation, réflexion et patience seront vos meilleurs atouts – avec beaucoup de fermeté et de naturel.

Pour bien poser les bases d'une éducation har-monieuse, pour réussir celle-ci, vous devez évi-ter de créer, chez le cheval, un stress intense, ce qui sera le cas si vous l'attachez ou l'enfermez avant qu'il ait pleinement accepté votre contact.

RESTER DOMINANT

Une fois que le cheval est convaincu que vous ne représentez pas un danger, que vous ne vous posez pas en agresseur mais plutôt en partenaire, il cherchera à vous situer dans sa hiérarchie sociale: vous n'êtes pas un préda-teur, et vous ne devez pas l'agresser, mais vous devez vous imposer comme un domi-nant. Une attitude calme et déterminée don-nera de meilleurs résultats que les correc-tions ou la coercition. Mais si le cheval se montre agressif, vous devez le remettre à sa place, comme le ferait un cheval dominant.

BON POUR LE MORAL

Le jeune cheval qui a vécu ses pre-mières années au pré ou en liberté avec ses compagnons sera profondé-ment stressé et démoralisé s'il passe brusquement à une existence recluse et solitaire. Ce n'est pas un bon moyen pour l'apprivoiser. Placez-le de préfé-rence au pré ou au paddock, ou en sta-bulation libre, avec d'autres poulains.